FERNANDO DE ROJAS

CLÁSICOS CASTELLANOS

FERNANDO DE ROJAS

LA CELESTINA

II

EDICIÓN, INTRODUCCIÓN Y NOTAS DE JULIO CEJADOR Y FRAUCA

ESPASA-CALPE, S. A.
MADRID, 1965

ES PROPIEDAD

© Espasa-Calpe, S. A., Madrid, 1913

Printed in Spain

—

N.º Rgtr.º: 6.222 — 65
Depósito legal: M. 17.507 — 1965

Talleres tipográficos de la Editorial Espasa-Calpe, S. A.
Ríos Rosas, 26. Madrid

EL OCTAUO AUCTO

ARGUMENTO

DEL OCTAUO AUTO

La mañana viene. Despierta Pármeno. Despedido de Areu- 5
sa, va para casa de Calisto su señor. Falla a la puerta a
Sempronio. Conciertan su amistad. Van juntos a la cámara
de Calisto. Hállanle hablando consigo mismo. Leuantado, va
a la yglesia.

SEMPRONIO, PÁRMENO, AREUSA, CALISTO

PÁRM.—¿Amanesce o qué es esto, que tanta 10
claridad está en esta cámara?

AREU.—¿Qué amanecer? Duerme, señor, que
avn agora nos acostamos. No he yo pegado bien
los ojos, ¿ya hauía de ser de día? Abre, por
Dios, essa ventana de tu cabecera e verlo has. 15

PÁRM.—En mi seso estó yo, señora, que es
de día claro, en ver entrar luz entre las puertas.
¡O traydor de mí! ¡En qué gran falta he caydo
con mi amo! De mucha pena soy digno. ¡O qué
tarde que es! 20

AREU.—¿Tarde?

PÁRM.—E muy tarde.

AREU.—Pues así goze de mi alma, no se me

ha quitado el mal de la madre. No sé cómo pueda ser.

PÁRM.—¿Pues qué quieres, mi vida?

AREU.—Que hablemos en mi mal.

5   PÁRM.—Señora mía, si lo hablado no basta, lo que más es necessario me perdona, porque es ya mediodía. Si voy más tarde, no seré bien recebido de mi amo. Yo verné mañana e quantas vezes después mandares. Que por esso hizo Dios 10 vn día tras otro, porque lo que el vno no bastasse, se cumpliesse en otro. E avn porque más nos veamos, reciba de tí esta gracia, que te vayas oy a las doze del día a comer con nosotros a su casa de Celestina.

15   AREU.—Que me plaze, de buen grado. Vé con Dios, junta tras tí la puerta.

PÁRM.—Adios te quedes.

PÁRM.—¡O plazer singular! ¡O singular alegría! ¿Quál hombre es ni ha sido más bienauen- 20 turado que yo? ¿Quál más dichoso e bienandante? ¡Qué vn tan excelente don sea por mí posseido e quan presto pedido tan presto alcançado! Por cierto, si las trayciones desta vieja con mi coraçón yo pudiesse sofrir, de rodillas hauía de 25 andar a la complazer. ¿Con qué pagaré yo esto? ¡O alto Dios! ¿A quién contaría yo este gozo?

---

15 *Que me plaze,* fórmula para asentir. CERV., *Retabl. marav.* GRAN., *Mem.*, 6.

¿A quién descubriría tan gran secreto? ¿A quién daré parte de mi gloria? Bien me dezía la vieja que de ninguna prosperidad es buena la posesión sin compañía. El plazer no comunicado no es plazer. ¿Quién sentiría esta mi dicha, 5 como yo la siento? A Sempronio veo a la puerta de casa. Mucho ha madrugado. Trabajo tengo con mi amo, si es salido fuera. No será, que no es acostumbrado; pero, como agora no anda en su seso, no me marauillo que aya peruertido su 10 costumbre.

SEMP.—Pármeno hermano, si yo supiesse aquella tierra, donde se gana el sueldo dormiendo, mucho haría por yr allá, que no daría ventaja a ninguno: tanto ganaría como otro qual- 15 quiera. ¿E cómo, holgazán, descuydado, fueste para no tornar? No sé qué crea de tu tardança, sino que te quedaste a escallentar la vieja esta noche o a rascarle los pies, como quando chiquito. 20

PÁRM.—¡O Sempronio, amigo e más que her-

---

3 SÉNECA, *Ep.*, 6: No hay posesión ni bien alguno agradable, si no hay un compañero bueno.

14 *No darle ventaja*, no dejarse adelantar por él; *darle ventaja*, quedarse atrás. ZAMORA, *Monarq.*, 3, 86, 1: Los serafines más excelentes todos le quitan la gorra, le reconocen y le dan ventaja.

18 *Es-callentar* o *escalentar*. HERR., *Agr.*, 5, 40: En escalentando el tiempo.

19 Rascan los pies a los viejos, los cuales lo apetecen y yo he conocido no pocos de éstos.

mano! Por Dios, no corrompas mi plazer, no
mezcles tu yra con mi sofrimiento, no rebueluas
tu descontentamiento con mi descanso, no agües
con tan turbia agua el claro liquor del pensa-
5 miento, que traygo, no enturuies con tus embi-
diosos castigos e odiosas reprehensiones mi plazer. Recíbeme con alegría e contarte he marauillas de mi buena andança passada.

SEMP.—Dílo, dílo. ¿Es algo de Melibea?
10 ¿Hasla visto?

PÁRM.—¿Qué de Melibea? Es de otra, que
yo más quiero e avn tal que, si no estoy enga-
ñado, puede viuir con ella en gracia e hermosura. Sí, que no se encerró el mundo e todas sus
15 gracias en ella.

SEMP.—¿Qué es esto, desuariado? Reyrme
quería, sino que no puedo. ¿Ya todos amamos?
El mundo se va a perder. Calisto a Melibea, yo
a Elicia, tú de embidia has buscado con quien
20 perder esse poco de seso que tienes.

PÁRM.—¿Luego locura es amar *e yo soy loco
e sin seso? Pues si la locura fuesse dolores, en
cada casa auría bozes.*

SEMP.—Según tu opinión, sí es. Que yo te
25 he oydo dar consejos vanos a Calisto e contra-

---

7 *Contar maravillas o decirlas.* CERV., *Gitan.*: A quien
contaron maravillas de la gitanilla.

14 *Sí que,* alude a estas exageraciones dichas antes por
su amo.

22 Así en CORREAS, 252, y *Bibl. Gallardo,* 1, 561.

dezir a Celestina en quanto habla e, por impedir mi prouecho e el suyo, huelgas de no gozar tu parte. Pues a las manos me has venido, donde te podré dañar e lo haré.

PÁRM.—No es, Sempronio, verdadera fuerça ni poderío dañar e empecer; mas aprouechar e guarecer e muy mayor, quererlo hazer. Yo siempre te tuue por hermano. No se cumpla, por Dios, en tí lo que se dize, que pequeña causa desparte conformes amigos. Muy mal me tratas. No sé donde nazca este rencor. *No me indignes, Sempronio, con tan lastimeras razones. Cata que es muy rara la paciencia que agudo baldón no penetre e traspasse.*

SEMP.—No digo mal en esto; sino que se eche otra sardina para el moço de cauallos, pues tú tienes amiga.

PÁRM.—Estás enojado. Quiérote sofrir, avnque más mal me trates, *pues dizen que ninguna humana passión es perpetua ni durable.*

SEMP.—Más maltratas tu a Calisto, aconsejando a él lo que para tí huyes, diziendo que se

---

11 *Donde*, de donde, *de* + *onde*.

12 Razones frías del corrector e indignas del autor.

16 *Echar otra sardina* dícese cuando alguien viene y es para molestia de los del corro; díjose de las meriendas o cenas en que hay que repartir con él. CORR., 140: *Echa otra sardina, que otro ruin viene.* SANTILLANA.

19 Sentencia fría y sosa, y no la puso el que puso la contestación: *Más maltratas tú*, que se enhebra con el *aunque más me maltrates*.

aparte de amar a Melibea, hecho tablilla de mesón, que para sí no tiene abrigo e dale a todos.
¡O Pármeno! Agora podrás ver quán facile
cosa es reprehender vida agena e quán duro
5 guardar cada qual la suya. No digas más, pues
tú eres testigo. E d'aquí adelante verémos cómo
te has, pues ya tienes tu escudilla como cada
qual. Si tú mi amigo fueras, en la necessidad,
que de tí tuue, me hauías de fauorecer e ayu-
10 dar a Celestina en mi prouecho; que no fincar
vn clauo de malicia a cada palabra. Sabe que,
como la hez de la tauerna despide a los borrachos, así la aduersidad o necessidad al fingido

1 *Tablilla de mesón*, que se ponía a la puerta. CORR., 413:
*Tablilla de mesón, que a los otros aloja y ella se queda al
sereno sola.* Idem, 414: *que a todos alberga y ella quédase a
la puerta.* Idem, 413: *y ella se queda fuera.* Idem, 362: *Como
tablilla de mesón, que a todos da su amparo y a sí non.*

7 CORR., 145: *Ya tienes tu escudilla.* Era la taza en que
a cada uno *se escudillaba* el caldo, sopa, etc., por no usarse
cucharas.

11 *Clavo* es cosa que acongoja. FONS., *Vid. Cr.*, 1, 1, 7:
Este es el clavo que más atravesado trae en las entrañas el
hombre y el pensamiento con que más agoniza mientras vive.

12 *Como la hez.* Del Petrarca (1, 50): "Universalmente
todo estado tenga necessidad de amigos...; mas agora la necessidad venga de nuevo, agora crezca, luego descrecerán o se
perderán, o más verdaderamente se descubrirán las amistades. Quáles fueron sus amigos y quáles los de tu fortuna,
quando ella se partiere lo verás, que a tí seguirán los tuyos y
a ella los suyos. La tuya será mejor; mas la suya será muy
mayor compaña. E no ay cosa de que te maravilles: que siendo ya vazío el vaso se partan aquellos que no buscaban otra
cosa sino la dulçura que en él estava. La adversidad oxea al
fingido amigo, como la hez al buen bevedor."

amigo: luego se descubre el falso metal, dorado
por encima.

PÁRM.—Oydo lo hauía dezir e por esperiencia
lo veo, nunca venir plazer sin contraria çoçobra
en esta triste vida. A los alegres, serenos e cla- 5
ros soles, nublados escuros e pluuias vemos su-
ceder; a los solazes e plazeres, dolores e muertes
los ocupan; a las risas e deleytes, llantos e lloros e passiones mortales los siguen; finalmente,
a mucho descanso e sosiego, mucho pesar e tris- 10
teza. ¿Quién pudiera tan alegre venir, como yo
agora? ¿Quién tan triste recebimiento pades-
cer? ¿Quién verse, como yo me ví, con tanta
gloria, alcançada con mi querida Areusa? ¿Quién
caer della, siendo tan maltratado tan presto, 15
como yo de tí? Que no me has dado lugar a
poderte dezir quánto soy tuyo, quánto te he de
fauorecer en todo, quánto soy arepiso de lo passado, quántos consejos e castigos buenos he recebido de Celestina en tu fauor e prouecho e de 20
todos. Como, pues, este juego de nuestro amo
e Melibea está entre las manos, podemos agora medrar o nunca.

3 En Petrarca, *De Remed.*, 1, 17: ¿Por ventura no vees
que las cosas humanas se rebuelven como un remolino e
que al sosegado mar se sigue turbia tempestad e a la clara
mañana, nublada tarde, e cómo el llano e suave camino e
fragoso se acaba, assi la sobervia de la prosperidad con una
no pensada miseria, e la carrera de la alegre vida con triste
muerte se cierra, e muchas vezes el fin es muy dissimil del
principio." Véase el *Eclesiastés*, cap. 3.

18 *Arrepiso*, arrepentido (CEJADOR, *Vocab. medieval*).

SEMP.—Bien me agradan tus palabras, si tales touiesses las obras, a las quales espero para auerte de creer. Pero, por Dios, me digas qué es esso que dixiste de Areusa. ¡Paresce que co-
5 nozcas tú a Areusa, su prima de Elicia!

PÁRM.—¿Pues qué es todo el plazer que traygo, sino hauerla alcançado?

SEMP.—¡Cómo se lo dice el bouo! ¡De risa no puede hablar! ¿A qué llamas hauerla alcan-
10 çado? ¿Estaua a alguna ventana o qué es esso?

PÁRM.—A ponerla en duda si queda preñada o no.

SEMP.—Espantado me tienes. Mucho puede el contínuo trabajo; vna contínua gotera ho-
15 raca vna piedra.

PÁRM.—Verás qué tan contínuo, que ayer lo pensé: ya la tengo por mía.

SEMP.—¡La vieja anda por ay!

PÁRM.—¿En qué lo vees?

20 SEMP.—Que ella me hauía dicho que te quería mucho e que te la haría hauer. Dichoso fuiste: no hiziste sino llegar e recabdar. Por esto

14 CORR., 355: *Continua gotera horada la piedra. Horac-ar,* de *horaco, huraco, foraco* (todos en ROSAL), *furaco, buraco* (Salam., Astur., León), agujero. ARMESTO, *Muertos vivos:* Ay, que el arca del pan quiere horacarme. Q. BENAV., 1, 315: Debe de estar horacado | el suelo de la bacia. Idem: ¿Qué bacia ni qué horaco?

22 CORR., 221: *No hay mas de llegar y recadar, o y besar* (221), esto es, el Santo, del ir a hacerlo a la iglesia con mucha gente.

dizen, más vale a quien Dios ayuda, que quien mucho madruga. Pero tal padrino touiste.

PÁRM.—Dí madrina, que es más cierto. Así que, quien a buen árbol se arrima... Tarde fuy; pero temprano recabdé. ¡O hermano! ¿qué te ⁵ contaría de sus gracias de aquella muger, de su habla e hermosura de cuerpo? Pero quede para más oportunidad.

SEMP.—¿Puede ser sino prima de Elicia? No me dirás tanto, quanto estotra no tenga más. ¹⁰ Todo te creo. Pero ¿qué te cuesta? ¿Hásle dado algo?

PÁRM.—No, cierto. Mas, avnque houiera, era bienempleado: de todo bien es capaz. En tanto son las tales tenidas, quanto caras son com- ¹⁵ pradas; tanto valen, quanto cuestan. Nunca mucho costó poco, sino a mí esta señora. A comer la combidé para casa de Celestina e, si te plaze, vamos todos allá.

SEMP.—¿Quién, hermano?   ²⁰

PÁRM.—Tú e ella e allá está la vieja e Elicia. Aueremos plazer.

SEMP.—¡O Dios! e cómo me has alegrado. Franco eres, nunca te faltaré. Como te tengo

---

1 CORR., 449: *Más puede Dios ayudar, que velar ni madrugar.* Idem, 450: *Más vale a quien Dios ayuda que al que mucho madruga.*

4 *Quien a buen árbol se arrima, buena sombra le cobija.* *Quijote*, 1, prelim.

16 CORR., 241: *Nunca mucho costó poco.*

por hombre, como creo que Dios te ha de hazer
bien, todo el enojo, que de tus passadas fablas
tenía, se me ha tornado en amor. No dudo ya
tu confederación con nosotros ser la que deue.
5 Abraçarte quiero. Seamos como hermanos, ¡vaya
el diablo para ruyn! Sea lo passado questión
de Sant Juan e assí paz para todo el año. Que
las yras de los amigos siempre suelen ser reintegración del amor. Comamos e holguemos,
10 que nuestro amo ayunará por todos.

PÁRM.—¿E qué haze el desesperado?

SEMP.—Allí está tendido en el estrado cabo
la cama, donde le dexaste anoche. Que ni ha
dormido ni está despierto. Si allá entro, ronca;
15 si me salgo, canta o deuanea. No le tomo tiento,
si con aquello pena o descansa.

---

6 CORR., 614: *Váyase el diablo para puto.* (Dando paz.)
Por creerse que de él viene toda enemistad y cizaña. Idem,
431: *Váyase el diablo para ruin y quédese en casa Martín.*

7 CORR., 194: *Las riñas de por San Juan son paz para
todo el año.* Tuvo origen de las casas que se alquilan y de
los mozos que se escogen y entran con amos por San Juan.
Quiere decir que al principio de los conciertos se averigüe
todo bien y entonces se riña y porfíe lo que ha de ser, y resul-
tará paz para todo el año, como se prueba con el otro: *Quien
destaja no baraja.* (CEJAD., *Tesoro*, R, 117, y *Refranero*).

8 *Las yras de los amigos*, de TERENCIO, *Andria*, v. 556:
"Amantium irae, amoris integratio est." Pero lo tomó del
Petrarca, *Epist. familiar*, 1, V, 8.

12 *Cabo*, como *cabe*, preposición, al lado de, junto a.
Aut. s. XVI, 3, 307: Y aunque os podeis asentar | cabo el
pan, que habeis masado.

PÁRM.—¿Qué dizes? ¿E nunca me ha llamado ni ha tenido memoria de mí?

SEMP.—No se acuerda de sí, ¿acordarse ha de tí?

PÁRM.—Avn hasta en esto me ha corrido 5 buen tiempo. Pues assí es, mientra recuerda, quiero embiar la comida, que la adrecen.

SEMP.—¿Qué has pensado embiar, para que aquellas loquillas te tengan por hombre complido, biencriado e franco? 10

PÁRM.—En casa llena presto se adereça cena. De lo que ay en la despensa basta para no caer en falta. Pan blanco, vino de Monuiedro, vn pernil de toçino. E más seys pares de pollos, que traxeron estotro día los renteros de nues- 15 tro amo. Que si los pidiere, haréle creer que los ha comido. E las tórtolas, que mandó para oy guardar, diré que hedían. Tú serás testigo. Ternemos manera cómo a él no haga mal lo que dellas comiere e nuestra mesa esté como 20 es razón. E allá hablaremos largamente en su daño e nuestro prouecho con la vieja cerca destos amores.

---

6 *Recuerda*, despierta, vuelve en su acuerdo. *Lis. Ros.*, 4, 1: Recordando Lísandro de un sueño profundo. A. ALV., *Silv. Mand.*, 7 c.: Como con el sueño pasado, cuando recuerda.

7 *Adrecen*, aderecen, contracción todavía vulgar.

11 COBR., 114: *En la casa llena, presto se guisa la cena; y en la vacía, más aína.* En *Galindo, O*, 436, se adereza.

SEMP.—¡Más, dolores! Que por fé tengo que de muerto o loco no escapa desta vez. Pues que assí es, despacha, subamos a ver qué faze.

CAL.   En gran peligro me veo:
5   En mi muerte no ay tardança,
           Pues que me pide el deseo
           Lo que me niega esperança.
PÁRM.—Escucha, escucha, Sempronio. Trobando está nuestro amo.
10   SEMP.—¡O hideputa, el trobador! El gran Antipater Sidonio, el gran poeta Ouidio, los quales de improuiso se les venían las razones metrificadas a la boca. ¡Sí, sí, desos es! ¡Trobará el diablo! Está deuaneando entre
15 sueños.

---

1 ¡Más, dolores!, mejor o más bien dijeras dolores.
10 Hideputa, expresión de extrañeza, que era muy común, así en el Quijote y passim.; hi, hijo.
11 Antípatro de Sidon, filósofo y poeta griego, discípulo de Diógenes, de Babilonia, y maestro de Posidonio, floreció el siglo segundo antes de Jesucristo, hacia el 136. De Ovidio es cosa más sabida, poeta latino elegantísimo y fecundísimo, nació el año 711 de Roma, en tiempo de Augusto. Reprendido de su padre por darse a hacer versos, cosa que ningún provecho traía, decía él, le respondió en verso:

"Iuro, iuro, pater, nunquam componere versus."

Porque, aun sin querer, como él escribió, cuanto hablaba versus erant, eran versos.

CAL.   Coraçón, bien se te emplea
Que penes e viuas triste,
Pues tan presto te venciste
Del amor de Melibea.

PÁRM.—¿No digo yo que troba?   5

CAL.—¿Quién fabla en la sala? ¡Moços!

PÁRM.—Señor.

CAL.—¿Es muy noche? ¿Es hora de acostar?

PÁRM.—¡Más ya es, señor, tarde para leuantar!   10

CAL.—¿Qué dizes, loco? ¿Toda la noche es
passada?

PÁRM.—E avn harta parte del día.

CAL.—Dí, Sempronio, ¿miente este desuariado, que me haze creer que es de día   15

SEMP.—Oluida, señor, vn poco a Melibea e
verás la claridad. Que con la mucha, que en su
gesto contemplas, no puedes ver de encandelado,
como perdiz con la calderuela.

CAL.—Agora lo creo, que tañen a missa. Dáca   20
mis ropas, yré a la Madalena. Rogaré a Dios
aderece a Celestina e ponga en coraçón a Meli-

---

18 *Encandelar*, como *encandilar*, tomado del cazar con
luz debajo de una *calderuela*. OVALLE, *H. Chile*, 1, 19: Lu-
ces de noche para encandelar los pájaros.

20 *Dáca*, de acá, trae, úsase en Castilla la Vieja todavía.

21 *La Madalena*, iglesia en Toledo y Salamanca, de
modo que no se puede sacar de aquí sino que tenía el autor
en la cabeza entrambas ciudades, como lugar donde ponía
su tragicomedia.

bea mi remedio o dé fin en breue a mis tristes días.

SEMP.—No te fatigues tanto, no lo quieras
todo en vna hora. Que no es de discretos desear
5 con grande eficacia lo que se puede tristemente
acabar. Si tú pides que se concluya en vn día
lo que en vn año sería harto, no es mucha tu
vida.

CAL.—¿Quieres dezir que soy como el moço
10 del escudero gallego?

SEMP.—No mande Dios que tal cosa yo diga,
que eres mi señor. E demás desto, sé que, como
me galardonas el buen consejo, me castigarías
lo malhablado. Verdad es que nunca es ygual
15 la alabança del seruicio o buena habla, que la
reprehensión e pena de lo malhecho o hablado.

CAL.—No sé quien te abezó tanta filosofía,
Sempronio.

SEMP.—Señor, no es todo blanco aquello que
20 de negro no tiene semejança, *ni es todo oro
quanto amarillo reluze*. Tus acelerados deseos,
no medidos por razón, hazen parecer claros mis

---

9 CORR., 105: *El mozo del escudero gallego, que an-
daba todo el año descalzo y por un día quería matar al za-
patero*. Porque no le acababa aquel día los zapatos.

13 *Castigar*, corregir, enseñar (CEJADOR, *Vocab. medieval*).

17 *Avezar*, enseñar. Bosc., *Cortes.*, 230: Le traía un ba-
chiller para avezar gramática a sus hijos.

20 *No es todo oro lo que reluce*, véanse autoriddes y sus
variantes en CEJADOR, *Tesoro, Silbantes*, 339, y *Refranero*.

consejos. Quisieras tú ayer que te traxeran a
la primera habla amanojada e embuelta en su
cordón a Melibea, como si houieras embiado por
otra qualquiera mercaduría a la plaça, en que
no houiera mas trabajo de llegar e pagalla. Da, 5
señor, aliuio al coraçón, que en poco espacio de
tiempo no cabe gran bienauenturança. Vn solo
golpe no derriba vn roble· Apercíbete con sofrimiento, porque la providencia es cosa loable
e el apercibimiento resiste el fuerte combate.   10

CAL.—Bien has dicho, si la qualidad de mi mal
lo consintiesse.

SEMP.—¿Para qué, señor, es el seso, si la voluntad priua a la razón?

CAL.—¡O loco, loco! Dize el sano al doliente: 15
Dios te dé salud. No quiero consejo ni esperar-
te más razones, que más aviuas e enciendes las
flamas, que me consumen. Yo me voy solo a
missa e no tornaré a casa fasta que me llameys,
pidiéndome las albricias de mi gozo con la bue- 20
na venida de Celestina· Ni comeré hasta entonce; avnque primero sean los cauallos de Febo

---

2 *Amanojar*, coger como en un manojo.
7 COBR., 161: *Un solo golpe no derriba un roble.*
15 *Dice el sano...*, así en la *Comedia Eufrosina*, 2, 7,
y en CICERÓN, *Senectute.*
18 *Flamas*, latinismo, por llamas.
21 *Entonce*, de *estonce*, de *ex-tuncce*, de él salió *entonce-s.*
22 *Los caballos de Febo*, del sol, que es *Febo* en la mito-
logía griega. El autor habla con esta retórica y énfasis de
los cultos de entonces, picados del renacimiento que bullía
a la sazón como nuevo mosto; pero su apego a la realidad

apacentados en aquellos verdes prados, que suelen, quando han dado fin a su jornada.

SEMP.—Dexa, señor, essos rodeos, dexa essas
poesías, que no es habla conueniente la que a
5 todos no es común, la que todos no participan,
la que pocos entienden. Dí: avnque se ponga el
sol, e sabrán todos lo que dizes. E come alguna
conserua, con que tanto espacio de tiempo te
sostengas.

10 CAL.—Sempronio, mi fiel criado, mi buen con-
sejero, mi leal seruidor, sea como a tí te paresce. Porque cierto tengo, según tu limpieça de
seruicio, quieres tanto mi vida como la tuya.

SEMP.—¿ Créeslo tú, Pármeno? Bien sé que no
15 lo jurarías. Acuérdate, si fueres por conserua,
apañes vn bote para aquella gentezilla, que nos
va más e a buen entendedor... En la bragueta
cabrá.

CAL.—¿ Qué dizes, Sempronio?

20 SEMP.—Dixe, señor, a Pármeno que fuesse
por vna tajada de diacitrón.

---

y habla castiza le hace ver que había en ello afectación,
lo cual le disculpa en parte de la que gastan a veces sus
personajes.

16 *Apañar*, coger. HOROZCO, *Canc.*, p. 158: O de la casta
bellaca, | si te apaño. LASO OROP., *Lucano*, p. 9: Y apañan
los escudos medios deshechos... y sus dardos... y las espadas.

17 *A buen entendedor pocas palabras (bastan), intelligenti
pauca.*

21 *Diaçitron*, la corteza de la cidra confitada y cubierta,
de *citrus*, cidra.

PÁRM.—Héla aquí, señor.

CAL.—Daca.

SEMP.—Verás qué engullir haze el diablo. Entero lo que quería tragar por más apriesa hazer.

CAL.—El alma me ha tornado. Quedaos con 5 Dios, hijos. Esperad la vieja e yd por buenas albricias.

PÁRM.—¡Allá yrás con el diablo, tú e malos años! ¡E en tal hora comiesses el diacitrón, como Apuleyo el veneno, que le conuertió en 10 asno!

---

10 L. APULEII, *Madaurensis, Platonici, Methamorphoseos sive Lusus asini,* l. 3. Deseando convertirse en pájaro, por imprudencia de Fotis, se untó con otro ungüento y se vió convertido en asno: "haurito plusculo uncto, corporis mei membra perfricui. Iamque alternis conatibus libratis brachiis, in avem similem gestiebam. Nec ullae plumulae, nec usquam pinnulae; sed plane pili mei crassantur in setas et cutis tenella duratur in corium et in extimis palmulis perdito numero, toti digiti coguntar in singulas ungulas et de spinae meae termino grandis cauda procedit. Iam facies enormis et os prolixum et nares hiantes et labia pendula... non avem me, sed asinum video."

EL AUCTO NOUENO

ARGUMENTO

DEL NOUENO AUTO

Sempronio e Pármeno van a casa de Celestina, entre sí
5 hablando. Llegados allá, hallan a Elicia e Areusa. Pónense
a comer. Entre comer riñe Elicia con Sempronio. Leuántase
de la mesa. Tórnanla apaciguar. Estando ellos todos entre
sí razonando, viene Lucrecia, criada de Melibea, llamar a
Celestina, que vaya a estar con Melibea.

10 SEMPRONIO, PÁRMENO, ELICIA, CELESTINA, AREUSA,
LUCRECIA

SEMP.—Baxa, Pármeno, nuestras capas e espadas, si te parece que es hora que vamos a
comer.

15 PÁRM.—Vamos presto. Ya creo que se que-
xarán de nuestra tardança. No por essa calle,
sino por estotra, porque nos entremos por la
yglesia e veremos si ouiere acabado Celestina
sus deuociones: lleuarla hemos de camino.

20 SEMP.—A donosa hora ha de estar rezando.

---

19 Las devociones de estas gentes honradas, por extra-
ñas que parezcan, fueron siempre verdaderas y sinceras,
como fruto de la ignorancia. Hoy mismo sabemos suelen
tenerlas mucha gente perdida, ladrones y rufianes, tercero-
nas y rameras. Así dice el refrán: *No hay puta ni ladrón
sin alguna devoción*. Recuérdese el corral de Monipodio.

PÁRM.—No se puede dezir sin tiempo fecho
lo que en todo tiempo se puede fazer.

SEMP.—Verdad es; pero mal conoces a Celestina. Quando ella tiene que hazer, no se acuerda de Dios ni cura de santidades. Quando ay 5
que roer en casa, sanos están los santos; quando va a la yglesia con sus cuentas en la mano,
no sobra el comer en casa. Avnque ella te crió,
mejor conozco yo sus propriedades que tú. Lo
que en sus cuentas reza es los virgos que tiene 10
a cargo e quántos enamorados ay en la cibdad e
quántas moças tiene encomendadas e qué des-
penseros *le dan ración e quál lo mejor e cómo
les llaman por nombre, porque quando los encon-
trare no hable como estraña* e qué canónigo es 15
más moço e franco. Quando menea los labios es
fengir mentiras, ordenar cautelas para hauer
dinero: por aquí le entraré, esto me responderá,
estotro replicaré. Assi viue esta, que nosotros
mucho honrramos.

PÁRM.—Mas que esso sé yo; sino, porque te
enojaste estotro día, no quiero hablar; quando
lo dixe a Calisto.

SEMP.—Avnque lo sepamos para nuestro

---

6 *Roer,* alude al *comerse y roer los santos,* o ser muy
amigo de visitar iglesias. J. TOLOSA, *Disc.,* 1, 3: Estaba todo
el día royendo santos, que dicen, por aquellos claustros.

13 Esta sátira clerical es terrible, y adviértase que la
Inquisición no la tocó; sólo sí cuando estaba en manos de
aquellos que en el siglo XVIII tenían tanto de celosos cató-
licos como el moro Muza.

prouecho, no lo publiquemos para nuestro daño.
Saberlo nuestro amo es echalla por quien es é
no curar della. Dexándola, verná forçado otra,
de cuyo trabajo no esperemos parte, como des-
5 ta, que de grado ó por fuerça nos dará de lo que
le diere.

PÁRM.—Bien has dicho. Calla, que está abierta
la puerta. En casa está. Llama antes que entres,
que por ventura están embueltas e no querrán
10 ser assí vistas·

SEMP.—Entra, no cures, que todos somos de
casa. Ya ponen la mesa.

CEL.—¡O *mis enamorados,* mis perlas de oro!
¡Tal me venga el año, qual me parece vuestra
15 venida!

PÁRM.—¡Qué palabras tiene la noble! Bien
ves, hermano, estos halagos fengidos.

SEMP.—Déxala, que deso viue· Que no sé quién
diablos le mostró tanta ruyndad.

20   PÁRM.—La necessidad e pobreza, la hambre.

---

3 *Forçado,* o necesariamente, por fuerza, adverbio. S.
TER., *Fund.,* 9: Por ser lugar tan pequeño, que forzado había de tener renta.

9 *Embueltas,* obscene, sin duda. *Corvacho,* 2, 13: En-
volverse con otro mas hazino e cuytado e mezquino, e deson-
ra asy e a su marido.

20 *La necesidad e pobreza.* De PERSIO (*Sat.,* I, v. 8):

    "Quis expedivit psittaco suum χαῖρε
    Picasque docuit verba nostra conari?
    Magister artis ingenique largitor
    Venter, negatas artifex sequi voces."

Que no ay mejor maestra en el mundo, no ay mejor despertadora e aviuadora de ingenios. ¿Quién mostró a las picaças e papagayos ymitar nuestra propia habla con sus harpadas lenguas, nuestro órgano e boz, sino ésta?

CEL.—¡Mochachas! ¡mochachas! ¡bouas! Andad acá baxo, presto, que están aquí dos hombres, que me quieren forçar.

ELIC.—¡Mas nunca acá vinieran! ¡E mucho combidar con tiempo! Que ha tres horas que está aquí mi prima. Este perezoso de Sempronio haurá sido causa de la tardança, que no ha ojos por do verme.

SEMP.—Calla, mi señora, mi vida, mis amores. Que Quien a otro sirue, no es libre. Assí que sujeción me relieua de culpa. No ayamos enojo, assentémonos a comer.

ELIC.—¡Assí! ¡Para assentar a comer, muy diligente! ¡A mesa puesta con tus manos lauadas e poca vergüença!

SEMP.—Después reñiremos; comamos agora. Assiéntate, madre Celestina, tú primero.

---

4 *Harpadas lenguas*, que trae igualmente el *Quijote*, es frase que muchos no han entendido y se declara por *arpar la voz*, que es quebrarla, modularla, cortarla cantando. J. PIN., *Agr.*, 4, 5: Con el arpar de su voz la filomela. Idem: Ya silba, ya gorjea, ya arpa, ya reclama. De *arpar*, arañar, rasgar, véanse ejemplos en CEJADOR, *Tesoro, A*, 48.

15 *Quien sirve no es libre*, en GALINDO, *C.*, 1343.

19 CORR., 54: *Asentaisos a mesa puesta con vuestras manos lavadas y poca verguenza.*

CEL.—Assentaos vosotros, mis hijos, que harto lugar ay para todos, a Dios gracias: tanto nos diessen del parayso, quando allá vamos. Poneos en órden, cada vno cabe la suya; yo, que
5 estoy sola, porné cabo mí este jarro e taça, que no es más mi vida de quanto con ello hablo. Después que me fuy faziendo vieja, no sé mejor oficio a la mesa, que escanciar. Porque quien la miel trata, siempre se le pega dello. Pues de
10 noche en inuierno no ay tal escallentador de cama. Que con dos jarrillos destos, que beua, quando me quiero acostar, no siento frio en toda la noche. Desto aforro todos mis vestidos, quando viene la nauidad; esto me callenta la
15 sangre; esto me sostiene continuo en vn ser; esto me faze andar siempre alegre; esto me para fresca; desto vea yo sobrado en casa, que nunca temeré el mal año. Que vn cortezón de pan ratonado me basta para tres días. *Esto quita la*

---

3 *Vamos* por *vayamos* se usaba, como se ve por el *Quijote.*

8 *Escanciar* es verbo usadísimo en Burgos y otras partes; los letrados vivimos en Babia, teniendo ciertas palabras por anticuadas, por haberse divorciado los escritores del habla popular desde fines del siglo XVII. CORR., 343: *Quien trata en miel, siempre se le pega dél.* (Dijo *dél* por *della,* por la consonancia, que la miel es hembra.)

19 Este ditirambo al vino, exagerado por el corrector hasta la saciedad, recuerda el del *Curculio* (I, 2):

"Salve anime mi,
Liberi lepos: ut veteris vetusti cupida sum!

tristeza del coraçón, más que el oro ni el coral;
esto da esfuerço al moço e al viejo fuerça, pone
color al descolorido, coraje al couarde, al floxo
diligencia, conforta los celebros, saca el frío del
estómago, quita el hedor del anélito, haze po- 5
tentes los fríos, haze suffrir los afanes de las
labranças, a los cansados segadores haze sudar,
toda agua mala, sana el romadizo e las muelas,
sostiénese sin heder en la mar, lo qual no haze
el agua. Más propriedades te diría dello, que 10
todos teneys cabellos. Assí que no sé quien no
se goze en mentarlo. No tiene sino vna tacha,
que lo bueno vale caro e lo malo haze daño. Assí
que con lo que sana el hígado enferma la bolsa.
Pero todavía con mi fatiga busco lo mejor, para 15
esso poco que beuo. Vna sola dozena de vezes
a cada comida. No me harán passar de allí, saluo
si no soy combidada como agora.

Nam omnium unguentum odor prae tuo nausea'st.
Tu mihi stacte, tu cinamomum, tu rosa,
Tu crocinum et casia es, tu bdellium: nam ubi
Tu profusus, ibi ego me pervelim sepultam."

6 *Suffrir*, así el corrector; pero el autor menudea siempre el *sofrir* y *sofrimiento*, etc., con *o* y una sola *f*.
14 CORR., 352: *Con lo que sana el hígado, enferma el*
bazo. (Porque se varía en palabras, se repite, queda en *L*:
"Lo que es bueno para...") Idem, 198, y *Refr. glosados.*
Celestina pone *bolsa* por *bazo*, por ser caro el vino. No es
que en España haya sido nunca caro el vino hasta el punto
de que lo llamen *caro: "de lo caro"*, que dice Baltasar de
Alcázar, sino que se les hace caro a los borrachos, que tanto
beben.

PÁRM.—*Madre, pues tres vezes dizen que es bueno e honesto todos los que escriuieron.*

CEL.—*Hijos, estará corrupta la letra, por treze tres.*

5 SEMP.—Tía señora, a todos nos sabe bien. ¡Comiendo e hablando! Porque después no haurá tiempo para entender en los amores deste per-

---

1 Del beber tres o tres por tres, o sea nueve veces, se dijo *beber los kiries,* aunque acaso de los tres kiries pasaron los amigos del vino al brindar por los Santos y al mucho beber dijeron brindar por todos los de la Letanía, donde al fin se repiten los kiries. Nueve veces era lo que más se bebía. "Ter bibe vel toties ternos" o reduplicado por tres ternos (OVIDIO o AUSONIO en el *Gripho,* y HORACIO, *Od.,* 3, 19): "Tribus aut novem | miscentur cyathis pocula commodis. | Qui Musas amat impares | ternos ter cyathos attonitus petet | vates. Tres prohibet supra | rixarum metuens tangere Gratia | nudis iuncta sororibus." Esto es, tres veces por las tres Gracias y nueve por las nueve Musas. Bebe los kiries, es decir, que bebe nueve veces por ternos, como los kiries van ordenados, y bebe a la devoción y advocación de ellos, como los gentiles a las Gracias y Musas, a dioses y personas de estima. De aquí: *"Beber los quirios de Elena.* (Por beber mucho)". CORREAS, 586. *"Bebe los kirios de Elena.* (Encarece que uno bebe mucho: nueve veces.)" Idem, 307. Aulo Gelio y Macrobio y Varron dicen que los convidados no han de ser menos de tres por las tres *Gracias,* ni más de nueve por las nueve *Musas.* Y del brindarse por unas y otras debió nacer el beber tres y nueve veces; los cristianos lo cristianizaron brindando por los tres y nueve kiries, y aun los beberreadores por todos los Santos de la Letanía. A esta cuestión de sobremesa alude el texto.

3 *Treze tres,* sacado de *tres* y aludiendo al *trece* de insistir, *estar en sus trece.*

5 *Nos sabe bien, el pan ratonado,* que decía el autor; sino que el corrector metió, sin darse cuenta de esto, esos ensanches en el ditirambo al vino.

dido de nuestro amo e de aquella graciosa e gentil Melibea.

ELIC.—¡Apártateme allá, dessabrido, enojoso! ¡Mal prouecho te haga lo que comes!, tal
comida me has dado. Por mi alma, reuesar quie- 5
ro quanto tengo en el cuerpo, de asco de oyrte
llamar aquella gentil. ¡Mirad quién gentil!
¡Jesú, Jesú! ¡e qué hastío e enojo es ver tu poca
vergüença! ¿A quién, gentil? ¡Mal me haga
Dios, si ella lo es ni tiene parte dello; sino que 10
ay ojos, que de lagaña se agradan. Santiguar-
me quiero de tu necedad e poco conocimiento.
¡O quién estouiesse de gana para disputar contigo su hermosura e gentileza! ¿Gentil es Melibea? Entonce lo es, entonce acertarán, quando 15
andan a pares los diez mandamientos. Aquella
hermosura por vna moneda se compra de la

---

3 ¡En malhora alabó Sempronio a Melibea! Acuérda-
se aquí el autor de Hita (c. 559, 560): "Ante ella non alabes otra de parescer"; y juntamente del *Corvacho* (2, 2 y 4),
donde el de Talavera puso en práctica por manera mara-
villosa el precepto del Arcipreste de Hita.

5 *Revesar*, volver la comida, de *revés*. G. PÉREZ, *Odis.*,
5: En fin salió, aunque tarde y revesaba | mucha agua amar-
ga, que del mar bebiera.

11 CORR., 157: *Ojos hay que de lagañas se enamoran, o
de lagañas se pagan.*

16 *A pares*, muchos. CERV. *Gall. esp.*, 1: Y denme mo-
ros | a las manos, a pares y a millares. CORR., 506. *Los diez
mandamientos* son los diez dedos, y para expresar abundancia, se menean los dedos de las dos manos puestas las pal-
mas hacia arriba y se dice: *¡Hay así de...*" Aquí Elicia
hizo este gesto al decir: *quando...*

tienda. Por cierto, que conozco yo en la calle
donde ella viue quatro donzellas, en quien Dios
más repartió su gracia que no en Melibea. Que
si algo tiene de hermosura, es por buenos ata-
5 uíos, que trae. Poneldos a vn palo, tambien
direys que es gentil. Por mi vida, que no lo
digo por alabarme; mas creo que soy tan hermosa como vuestra Melibea.

AREU.—Pues no la has tu visto como yo, her-
10 mana mía. Dios me lo demande, si en ayunas
la topasses, si aquel día pudieses comer de asco.
Todo el año se está encerrada con mudas de mill
suziedades. Por vna vez que aya de salir donde
pueda ser vista, enuiste su cara con hiel e miel,
15 con vnas *tostadas e higos passados* e con otras
cosas, que por reuerencia de la mesa dexo de

---

2 *Cuatro* por algunos. *Quij.*, 1, 25: Que no salga deste
error en más de cuatro días.

5 CORR., 57: *Afeita un cepo y parecerá mancebo.* (Cepo
es tronco y palo basto.)

12 *Mudas* son afeites para *mudar* y hermosear el rostro.

14 *Envestir*, enmascarar, embadurnándose la cara con po-
tingues.

15 *Con unas e con otras cosas*, de ellas sucias, efecto
cómico que deshizo el corrector con poner *tostadas e higos
passados*. Cuenta Galeno (*Exortac. a buen. artes*, PLUTARCO,
De clar. mulierib.) de la hermosa Frine que en un juego, que
con muchas mujeres jugaba delante de muchos, en el cual
era reina cada una su vez y mandaba hacer lo que le daba
gusto, ella, cuando llegó a mandar como reina, mandó meter agua con que se lavó las manos y luego la cara y se la
limpió con un paño y quedó más hermosa que antes. Y como
por su mandado hiciesen las otras otro tanto muy contra
su voluntad, quedaron las más de ellas echas carátulas,

dezir. Las riquezas las hazen a estas hermosas e
ser alabadas; que no las gracias de su cuerpo.
Que assí goze de mí, vnas tetas tiene, para ser
donzella, como si tres vezes houiesse parido: no
parecen sino dos grandes calabaças. El vientre 5
no se le he visto; pero, juzgando por lo otro, creo
que le tiene tan floxo, como vieja de cincuenta
años. No sé qué se ha visto Calisto, porque dexa
de amar otras, que más ligeramente podría
hauer e con quien más él holgasse; *sino que el* 10
gusto dañado muchas vezes juzga por dulce lo
amargo.

SEMP.—Hermana, paréceme aquí que cada
bohonero alaba sus agujas, que el contrario
desso se suena por la cibdad. 15

AREU.—Ninguna cosa es mas lexos de verdad que la vulgar opinión. Nunca alegre viui-

---

llenas de manchas y de malparecer y muy corridas. De los
afeites trata maravillosamente LEÓN en la *Perf. Casada*, 12:
"Se coloran con las *freces* del cocodrilo y se untan con la
espuma de la *hediondez* y que para las abeñolas hacen hollín
y albayalde para embarnizar las mejillas."

11 CORR., 87: *El gusto dañado, muchas veces juzga lo
dulce por agrio*, o *lo bueno juzga por malo* (íd. 87), o *juzga
lo dulce por amargo* (íd. 87).

14 Así en CORREAS, 328.

16 *Ninguna cosa...* Tomado del Petrarca (*Remed.*, 1, 11):
"Por ningún camino se va mas ayna al error y al despeña-
dero que por las pisadas del vulgo. Por la mayor parte qualquier cosa que el vulgo alaba es digna de vituperio... Todo
lo que el vulgo piensa es vano, todo lo que habla es falso,
todo lo que condena es bueno, todo lo que aprueva malo,
todo lo que alaba infame y, finalmente, todo lo que haze es

rás, si por voluntad de muchos te riges. Porque estas son conclusiones verdaderas, que qualquier cosa, que el vulgo piensa, es vanidad; lo que fabla, falsedad; lo que reprueua es bondad; ⁵ lo que aprueua, maldad. E pues este es su más cierto vso e costumbre, no juzgues la bondad e hermosura de Melibea por esso ser la que afirmas.

SEMP.—Señora, el vulgo parlero no perdona ¹⁰ las tachas de sus señores e así yo creo que, si alguna touiesse Melibea, ya sería descubierta de los que con ella más que con nosotros tratan. E avnque lo que dizes concediesse, Calisto es cauallero, Melibea fijadalgo: assí que los na- ¹⁵ cidos por linaje escogido búscanse vnos a otros. Por ende no es de marauillar que ame antes a ésta que a otra.

AREU.—Ruyn sea quien por ruyn se tiene. Las obras hazen linaje, que al fin todos somos

---

locura. Agora ve tu e de las palabrillas de los locos recibe gran gloria."

18 CORR., 482: *Ruin sea quien por ruin se tiene y lo va a decir a la plaza.*

19 CORR., 192: *Las obras hacen linaje.* También aquí se acuerda del Petrarca (*Remed.*, 1, 16): "Recebir gloria de lo ageno es una donosa vanagloria. Los merecimientos de los avuelos cardenales son e los nietos que de aquella bondad desvian, e ninguna cosa publica más las manzillas de los modernos que el resplandor e gloria de los antiguos. Muchas vezes amenguó a uno la virtud de otro. El verdadero loor, si de tus propias cosas no le has, de las agenas no le esperes."

hijos de Adán e Eua. Procure de ser cada vno bueno por sí e no vaya buscar en la nobleza de sus passados la virtud.

CEL.—Hijos, por mi vida que cessen essas razones de enojo. E tú, Elicia, que te tornes a la mesa e dexes essos enojos. 5

ELIC.—Con tal que mala pro me hiziesse, con tal que rebentasse en comiéndolo. ¿Hauía yo de comer con esse maluado, que en mi cara me ha porfiado que es más gentil su andrajo de Me- 10 libea, que yo?

SEMP.—Calla, mi vida, que tú la comparaste. Toda comparación es odiosa: tú tienes la culpa e no yo.

AREU.—Ven, hermana, a comer. No hagas 15 agora esse plazer a estos locos porfiados; si no, leuantarme he yo de la mesa.

ELIC.—Necessidad de complazerte me haze contentar a esse enemigo mío e vsar de virtud con todos. 20

SEMP.—¡He! ¡he! ¡he!

ELIC.—¿De qué te ríes? ¡De mal cáncre sea comida essa boca desgraciada, enojosa!

CEL.—No le respondas, hijo; si no, nunca acabarémos. Entendamos en lo que faze a nues- 25 tro caso. Dezidme, ¿cómo quedó Calisto? ¿Cómo

---

13 CORR., 419: *Toda comparación es odiosa.* (La que alza a uno y baja a otro.)
23 *Desgraciado,* sin gracia.

lo dexastes? ¿Cómo os pudistes entramos desca-
bullir dél?

PÁRM.—Allá fué a la maldición, echando fuego, desesperado, perdido, medio loco, a missa a
5 la Magdalena, a rogar a Dios que te dé gracia,
que puedas bien roer los huessos destos pollos
e protestando no boluer a casa hasta oyr que
eres venida con Melibea en tu arremango. Tu
saya e manto e avn mi sayo, cierto está; lo otro
10 vaya e venga. El quándo lo dará no lo sé.

CEL.—Sea quando fuere. Buenas son mangas
passada la pasqua. Todo aquello alegra que con
poco trabajo se gana, mayormente viniendo de
parte donde tan poca mella haze, de hombre tan
15 rico, que con los saluados de su casa podría yo
salir de lazería, según lo mucho le sobra. No
les duele a los tales lo que gastan e según la causa por que lo dan; no sienten con el embeueci-
miento del amor, no les pena, no veen, no oyen.
20 Lo qual yo juzgo por otros, que he conocido menos apassionados e metidos en este fuego de

---

8 *Arremango*, el regazo de la saya en que las mu-
jerucas, alzándola y arremangándola, recogen y llevan cosas.
Como si en él le hubiese de llevar a Melibea, como llevaba la fruta comprada o las cosas pordioseadas o socali-
ñadas.

11 CORR., 316: *Buenas son mangas, después de Pascua.*
En todo tiempo viene bien lo que aprovecha, aunque sea a
destiempo y pasada la ocasión.

12 CORR., 42: *Alegra lo que sin trabajo se gana y sin
trabajo se aumenta.*

amor, que a Calisto veo. Que ni comen ni beuen,
ni ríen ni lloran, ni duermen ni velan, ni hablan
ni callan, ni penan ni descansan, ni están con-
tentos ni se quexan, según la perplexidad de
aquella dulce e fiera llaga de sus coraçones. E si ⁵
alguna cosa destas la natural necessidad les
fuerça a hazer, están en el acto tan oluidados,
que comiendo se oluida la mano de lleuar la
vianda a la boca. Pues si con ellos hablan, jamas conueniente respuesta bueluen. Allí tienen ₁₀
los cuerpos; con sus amigas los coraçones e sentidos. Mucha fuerça tiene el amor: no sólo la
tierra, mas avn las mares traspassa, según su

---

10   "Ardor del alma muerta en su cuerpo y viva en el
ajeno" llamó PLATÓN al amor. Y lo mismo suspiraba el otro
Alcesimarco de PLAUTO (Cistel.), que no estaba donde estaba
y que donde no estaba, estaba su alma. Lenguaje que de
otra manera sonaba por la boca suavísima de SAN AGUSTÍN
(Confes.): "que su peso era su amor, y que el amor le
llevaba para donde quiera que él tenia lo que amaba." Y
SAN PABLO (Galat., 2): "que ya él vivía, mas no él, sino
Cristo en él." Y es que quien ama está más en el amado
que en sí mismo, pues en él tiene su alma empleada y no
se ocupa sino en contemplarle, hasta olvidarse de sí. Y en
el punto que comenzare a ser amado de su amado, comienza a recobrar a sí mismo, restituído del que de él
había sido amado y le tenía consigo. Y porque quien ama
quiere ser amado, ese querer ser amado es querer cobrarse
a sí mismo, dado con el que le diere su amor en pago
del amor que le tiene. De donde dijo MARSILIO que "nadie
se daba amando, sino por sí mismo", que es decir que no
amaba sino a quien le amase. De este modo, el que amando
se da, cóbrase a sí y al amado y sale gananciolo, quedando
consigo y con otro por uno que había dado.

12   CORR., 77: El amor todo lo puede; o todo lo vence.
Idem, 378: Para el amor y muerte, no hay cosa ni casa.

poder. Ygual mando tiene en todo género de
hombres. Todas las dificultades quiebra. Ansiosa
cosa es, temerosa e solícita. Todas las cosas mira
en derredor. Assí que, si vosotros buenos ena-
5 morados haués sido, juzgarés yo dezir verdad.

SEMP.—Señora, en todo concedo con tu razón,
que aquí está quien me causó algún tiempo andar
fecho otro Calisto, perdido el sentido, cansado
el cuerpo, la cabeça vana, los días *mal* dormien-
10 do, las noches todas velando, dando alboradas,
haziendo momos, saltando paredes, poniendo
cada día la vida al tablero, esperando toros, corriendo cauallos, tirando barra, echando lança,
cansando amigos, quebrando espadas, haziendo
15 escalas, vistiendo armas e otros mill actos de
enamorado, haziendo coplas, pintando motes, sacando inuenciones. Pero todo lo doy por bienempleado, pues tal joya gané.

ELIC.—¡Mucho piensas que me tienes gana-
20 da! Pues hágote cierto que no has tu buelto la
cabeça, quando está en casa otro que más quiero, más gracioso que tú e avn que no anda bus-

---

3 *Proverbios de Séneca con la glosa*, Sevilla, 1500, f. 7:
"Causa de ocioso cuydado es el amor."

11 *Hacer momos*, visajes, momear. S. BADAJ., 2, p. 35:
Los juegos y personajes, | los momos y los visajes, | los
respingos a montones. J. PIN., *Agr.*, 10, 28: En España
no hay malos veduños... y bastan a hacer momear a muchos.

19 Después de enfurecerse celosa, le atrae dándole celos:
son las mañas y artimañas mujeriles.

cando cómo me dar enojo. A cabo de vn año,
que me vienes a uer, tarde e con mal.

CEL.—Hijo, déxala dezir, que deuanea. Mientra más desso la oyeres, más se confirma en su
amor. Todo es porque haués aquí alabado a Melibea. No sabe en otra cosa, que os lo pagar, sino
en dezir esso e creo que no vee la hora de hauer
comido para lo que yo me sé. Pues esotra su prima yo me la conozco. Gozá vuestras frescas mocedades, que quien tiempo tiene e mejor le espera, tiempo viene que se arrepiente. Como yo
hago agora por algunas horas que dexé perder, quando moça, quando me preciauan, quando
me querían. Que ya, ¡mal pecado!, caducado he,
nadie no me quiere. ¡Que sabe Dios mi buen desseo! Besaos e abraçaos, que a mí no me queda
otra cosa sino gozarme de vello. Mientra a la
mesa estays, de la cinta arriba todo se perdona.
Quando seays aparte, no quiero poner tassa,

---

1 CORR., 163: *Una en el año y esa con daño; o una en
un año y esa con daño.* Idem, 164: *Una vez en el año y esa
con daño.*

10 CORR., 342: *Quien tiempo tiene y tiempo atiende,
tiempo viene y se arrepiente.* Idem, 342: *Quien tiempo tiene
y tiempo espera, tiempo viene que desespera, o tiempo viene
que el diablo le lleva.* El autor mezcló entrambos refranes,
y así salió desasonantado. Aquí y al principio del auto VII
aconseja como la otra vieja del romance de Melisenda
(MEN. PELAYO, *Antol.,* 9, p. 167): "Agora es tiempo, señora, | de los placeres tomar, | que, si esperais a vejez | non
vos querrá un rapaz."

14 CORR., 444: *¡Mal pecado!* (Dícese ordinariamente por
vía de consuelo y preámbulo.)

pues que el rey no la pone. Que yo sé por las
mochachas, que nunca de importunos os acusen
e la vieja Celestina mascará de dentera con sus
botas enzías las migajas de los manteles. Bendí-
5 gaos Dios, ¡cómo lo reys e holgays, putillos, lo-
quillos, trauiessos! ¡En esto auía de parar el
nublado de las questioncillas, que aués tenido!
¡Mirá no derribés la mesa!

ELIC.—Madre, a la puerta llaman. ¡El solaz
10 es derramado!

CEL.—Mira, hija, quién es: por ventura será
quien lo acreciente e allegue.

ELIC.—O la boz me engaña o es mi prima Lucrecia.

15 CEL.—Ábrela e entre ella e buenos años. Que
avn a ella algo se le entiende desto que aquí ha-
blamos; avnque su mucho encerramiento le impide el gozo de su mocedad.

AREU.—Assí goze de mí, que es verdad, que
20 estas, que siruen a señoras, ni gozan deleyte ni
conocen los dulces premios de amor. *Nunca tratan con parientes, con yguales a quien pueden*

---

1 *Al rey me atengo*, dice el que le conviene atenerse a
alguna ley o disposición.

8 Esto se llama pintar sin pincel, dando a entender lo
que no se expresa.

10 *Derramasolaces* es el que así lo derrama.

15 *Buenos años*, el buen año, que así se añadía a todo
buen deseo, es el de buen fruto.

21 Muy buen trozo imitado de otros del autor, como éste
los imitó del *Corvacho*.

hablar tú por tú, con quien digan: ¿qué cenaste?
¿estás preñada? ¿quántas gallinas crías? lléua-
me a merendar a tu casa; muéstrame tu enamo-
rado; ¿quánto ha que no te vido? ¿cómo te va
con él? ¿quién son tus vezinas? e otras cosas de 5
ygualdad semejantes. ¡O tía, y qué duro nom-
bre e qué graue e soberuio es señora contino en
la boca! Por esto me viuo sobre mí, desde que
me sé conocer. Que jamás me precié de llamarme
de otrie; sino mía. Mayormente destas señoras 10
que agora se vsan. Gástase con ellas lo mejor
del tiempo, e con una saya rota de las que ellas
desechan pagan seruicio de diez años. Denostadas, maltratadas las traen, contino sojuzgadas,
que hablar delante dellas no osan. E quando veen 15
cerca el tiempo de la obligación de casallas, le-
uántanles vn caramillo que se echan con el moço
o con el hijo o pídenles celos del marido o que
meten hombres en casa o que hurtó la taça o

---

8   Imitación preciosa del Arcipreste de Talavera es toda
esta sátira contra los señores, llena de realismo y brío. Esta
es la manera castizamente castellana, la que usan las gentes
del pueblo en España, y más las tías, lo más subido del
arte descriptivo, que el Arcipreste de Talavera supo tomar
del pueblo y remedar garbosamente; de él lo aprendió Rojas, y de Rojas, Cervantes. Toda alabanza queda corta para
este realismo vigoroso, que no tiene parecido en ninguna
otra literatura, fuera de algunos toques que se hallan en la
literatura griega.

10   *Otrie, otri y otre* se usaron y se usan vulgarmente por
otro. (CEJADOR, *Tesor., L.,* 103.)

17   CORR., 550: *Los caramillos que levanta y mete.* (Quien
alborota, y más mujeres.) Idem 509: *Armar caramillos.*
(Poner achaques y hacer invenciones y rodeos.)

perdió el anillo; danles vn ciento de açotes e
échanlas la puerta fuera, las haldas en la cabeça, diziendo: allá yrás, ladrona, puta, no des-
truyrás mi casa e honrra. Assí que esperan ga-
5 lardón, sacan baldón; esperan salir casadas, salen amenguadas; esperan vestidos e joyas de
boda, salen desnudas e denostadas. Estos son
sus premios, estos son sus beneficios e pagos.
Oblíganseles a dar marido, quítanles el vestido.
10 La mejor honrra que en sus casas tienen, es andar hechas callejeras, de dueña en dueña, con
sus mensajes acuestas. Nunca oyen su nombre
propio de la boca dellas; sino puta acá, puta
acullá. ¿A dó vas, tiñosa? ¿Qué heziste, vellaca?
15 ¿Porqué comiste esto, golosa? ¿Cómo fregaste
la sartén, puerca? ¿Porqué no limpiaste el manto, suzia? ¿Cómo dixiste esto, necia? ¿Quién
perdió el plato, desaliñada? ¿Cómo faltó el paño
de manos, ladrona? A tu rufián lo aurás dado.
20 Ven acá, mala muger, la gallina hauada no paresce: pues búscala presto; si no, en la primera
blanca de tu soldada la contaré. E tras esto mill
chapinazos e pellizcos, palos e açotes. No ay
quien las sepa contentar, no quien pueda sofri-

---

20 *Havada*, vulgar, por *avahada*, de *avahar*, echar vaho,
como cuando con él se calientan las manos frías o con el
vaho se recalientan las sopas *(avahadas)* u otros guisos,
puestos sobre la olla de agua hirviendo. G. Casas, *Seda*, 3, 2:
Abaharlo con mantas. *G. Alf.*, 2, 3, 4: Sopitas avahadas.
    Habada es *pintada*, con pintas, en la prov. de Córdoba,
jilguero *seis-jabaos* con pintas en la cola, los mejores.

llas. Su plazer es dar bozes, su gloria es reñir.
De lo mejor fecho menos contentamiento muestran. Por esto, madre, he quesido más viuir en
mi pequeña casa, esenta e señora, que no en sus
ricos palacios sojuzgada e catiua.

CEL.—En tu seso has estado, bien sabes lo
que hazes. Que los sabios dizen: que vale más
vna migaja de pan con paz, que toda la casa
llena de viandas con renzilla. Mas agora cesse
esta razón, que entra Lucrecia.

LUCR.—Buena pro os haga, tía e la compañía.
Dios bendiga tanta gente e tan honrrada.

CEL.--¿Tanta, hija?¿Por mucha has esta? Bien
parece que no me conosciste en mi prosperidad,
oy ha veynte años. ¡Ay, quien me vido e quien
me vee agora, no sé cómo no quiebra su coraçón
de dolor! Yo ví, mi amor a esta mesa, donde

---

3 *Quesido*, por *querido*, varias veces en el texto, vulgar,
sacado del pretérito *quise*, como *anduviendo* de *anduvo* y
andó de *andar*, *tuvido* de *tuvo*, etc., confundidos los temas
de presente y pretérito. Hizo mal Foulché-Delbosc en corregir estos vulgarismos. *Gest. D. Jaime*, p. 25: Et rentaua
lo porque no lo avie quesido creyer (véase auto X).

7 *Vale más...* Más vale pan con amor, que gallina con
dolor. CORR., 454: *Más vale pan solo con paz, que pollos
en agraz.*

11 *Y la compañía*, así suele decirse por los demás presentes al saludar a uno.

15 *Quij.* 2, 11: Quien la vido y la ve ahora, cuál es el
corazón que no llora. CORR., 340: *Quien te vido y te ve
agora, ¿cuál es el corazón que no llora?* Idem, 346: *Quien
me vido algún tiempo y me ve agora, ¿cuál es el corazón
que no llora?;* varias personas: *quien te vido, quien le vido.*

agora están tus primas assentadas, nueue moças de tus días, que la mayor no passaua de
deziocho años e ninguna hauía menor de qua-
torze. Mundo es, passe, ande su rueda, rodee
5 sus alcaduzes, vnos llenos, otros vazíos. La ley
es de fortuna que ninguna cosa en vn ser mucho
tiempo permanesce: su orden es mudanças. No
puedo dezir sin lágrimas la mucha honrra que
entonces tenía; avnque por mis pecados e mala
10 dicha poco a poco ha venido en diminución.
Como declinauan mis días, assí se diminuya e
menguaua mi prouecho. Prouerbio es antiguo,
que quanto al mundo es o crece o descrece. Todo
tiene sus límites, todo tiene sus grados. Mi hon-
15 rra llegó a la cumbre, según quien yo era: de
necessidad es que desmengüe e abaxe. Cerca
ando de mi fin. En esto veo que me queda poca
vida. *Pero bien sé que sobí para decender, flo-
rescí para secarme, gozé para entristecerme,*
20 *nascí para biuir, biuí para crecer, crecí para
enuejecer, enuejecí para morirme. E pues esto
antes de agora me consta, sofriré con menos
pena mi mal; avnque del todo no pueda despe-*

---

1 Alude a las nueve Gracias y a los convidados, que
dijimos habían de ser nueve.
4 GALINDO, 509: *Ande la rueda,* de la fortuna y sus
mudanzas y de la noria con sus arcaduces o canjilones.
12 CORR., 106: *El mundo es a manera de escala, que uno
sube y otro baja.*
16 *Desmenguar,* como *menguar,* así el *des-* en otros ver-
bos vulgares.

dir el sentimiento, como sea de carne sentible formada.

LUCR.—Trabajo tenías, madre, con tantas mo-ças, que es ganado muy trabajoso de guardar.

CEL.—¿Trabajo, mi amor? Antes descanso 5 e aliuio. Todas me obedescían, todas me hon-rrauan, de todas era acatada, ninguna salía de mi querer, lo que yo dezía era lo bueno, a cada qual daua su cobro. No escogían mas de lo que yo les mandaua: coxo o tuerto o manco, aquel 10 hauían por sano, que más dinero me daua. Mío era el prouecho, suyo el afán. Pues seruidores, ¿no tenía por su causa dellas? Caualleros viejos e moços, abades de todas dignidades, desde obispos hasta sacristanes. En entrando por la 15 yglesia, vía derrocar bonetes en mi honor, como si yo fuera vna duquesa. El que menos auía que negociar comigo, por más ruyn se tenía. De me-dia legua que me viessen, dexauan las Horas. Vno a vno, dos a dos, venían a donde yo estaua, 20 a uer si mandaua algo, a preguntarme cada vno por la suya. Que hombre havía, que estando di-ziendo missa, en viéndome entrar, se turbaua, que no fazía ni dezía cosa a derechas. Vnos me llamauan señora, otros tía, otros enamorada, 25 otros vieja honrrada. Allí se concertauan sus

---

14 Esta terrible sátira clerical fué respetada por la In-quisición. Recuérdese que el autor era converso, si lo fué Rojas, y esto lo comprueba.

venidas a mi casa, allí las ydas a la suya, allí
se me ofrecían dineros, allí promesas, allí otras
dádiuas, besando el cabo de mi manto e avn algunos en la cara, por me tener más contenta.
5 Agora hame traydo la fortuna a tal estado, que
me digas: buena pro hagan las çapatas.

SEMP.—Espantados nos tienes con tales cosas como nos cuentas de essa religiosa gente e
benditas coronas. ¡Sí, que no serían todos!

10 CEL.—No, hijo, ni Dios lo mande que yo tal
cosa leuante. Que muchos viejos deuotos hauía
con quien yo poco medraua e avn que no me
podían ver; pero creo que de embidia de los
otros que me hablauan. Como la clerezía era
15 grande, hauía de todos: vnos muy castos, otros
que tenían cargo de mantener a las de mi oficio.
E avn todavía creo que no faltan. E embiauan
sus escuderos e moços a que me acompañassen,
e apenas era llegada a mi casa, quando entra-
20 uan por mi puerta muchos pollos e gallinas, an-
sarones, anadones, perdizes, tórtolas, perniles
de tocino, tortas de trigo, lechones. Cada qual,
como lo recebía de aquellos diezmos de Dios,
assí lo venían luego a registrar, para que comie-
25 se yo e aquellas sus deuotas. ¿Pues, vino? ¿No

6 CORR., 588: *Buena pro haga.* (Dícese cuando comen
o beben.) Idem, 316: *Buena pro hagan los zapatos y la barba
puta.* Los zapatos al corredor, las zapatas a la corredora,
que les aproveche su corretaje y el gastar calzado.

23 *Diezmos,* sangrienta pincelada.

me sobraua de lo mejor que se beuía en la ciudad, venido de diuersas partes, de Monuiedro,
de Luque, de Toro, de Madrigal, de Sant Martín e de otros muchos lugares, e tantos que,
avnque tengo la diferencia de los gustos e sa- 5
bor en la boca, no tengo la diuersidad de sus tierras en la memoria. Que harto es que vna vieja,
como yo, en oliendo qualquiera vino, diga de
donde és. Pues otros curas sin renta, no era
ofrecido el bodigo, quando, en besando el fili- 10
grés la estola, era del primero boleo en mi casa.
Espessos, como piedras a tablado, entrauan mo-
chachos cargados de prouisiones por mi puerta.
No sé cómo puedo viuir, cayendo de tal estado.

AREU.—Por Dios, pues somos venidas a ha- 15
uer plazer, no llores, madre, ni te fatigues: que
Dios lo remediará todo.

---

9 *Pues otros,* que eran curas sin renta, que sólo vivían
del pie de altar, me traían los *bodigos* o panes *votivos* que
ofrecen por los difuntos los feligreses. *De un voleo,* seguido,
corriendo, *volando* o *en volandas.* LAG., *Dios.,* 4, 70: Después
de haber dormido de un voleo seis horas. F. SILVA, *Celest,* 37:
Mejor será del primer voleo ir al bodegón.
12 CORREAS, 362: *"Como piedras a tablado.* (Usa ésta la
Celestina diciendo que iban bodigos a su casa espesos como
piedras a tablado, y porque muchos no entienden aquella
comparación es bien declararla. Solían los caballeros levantar un tablado para ejercitarse en él en tirar bohordos, como
se refiere en muchos romances viejos, y en aquellos de los
siete Infantes de Lara, y otros del Rey D. Fernando de
León; el tablado era un madero alto, derecho como un huso,
hincado en el suelo, y en la punta alta puesto un tabla-
mento cuadrado u ochavado como castillejo casi como el que

CEL.—Harto tengo, hija, que llorar, acordán-
dome de tan alegre tiempo e tal vida, como yo
tenía, e quán seruida era de todo el mundo. Que
jamás houo fruta nueua, de que yo primero no
5 gozasse, que otros supiessen si era nascida. En
mi casa se hauía de hallar, si para alguna preñada se buscasse.

SEMP.—Madre, ningund prouecho trae la memoria del buen tiempo, si cobrar no se puede;
10 antes tristeza. Como a tí agora, que nos has
sacado el plazer d'entre las manos. Álcese la
mesa. Yrnos hemos a holgar e tú darás respuesta a essa donzella, que aquí es venida.

CEL.—Hija Lucrecia, dexadas estas razones,
15 querría que me dixiesses a qué fué agora tu buena venida.

---

se pone en Salamanca sobre la picota en las fiestas de toros;
a imitación de esto también levantaban otros tablados los
labradores en regocijos suyos de a pie, y en el castillejo
metían un cántaro, y dentro del cántaro un gallo vivo, y su
fiesta era que elegían un rey, y sus duques, y condes, y
reina, y duquesas, y condesas, de las honradas del lugar
y mozas; que con esta llaneza se trataron los pasados. El
día postrero de los que duraba el reinado salían a la plaza
o campo, donde estaba levantado el tablado, y el rey tiraba
a él el primero una naranja, luego sus príncipes, después
todo el pueblo con piedras, procurando cada uno derribar
el tablado, y quebrar el cántaro, y el gallo era del que le
quebraba; por esto tiraban muchas hasta derribarle, y a
este uso fué dicha la comparación, y se usa hoy día a la
banda de Ciudad Rodrigo y León.)"

9 CORR., 421: *Todo tiempo pasado fué mejor.*

Lucr.—Por cierto, ya se me hauía oluidado mi principal demanda e mensaje con la memoria de esse tan alegre tiempo como has contado e assí me estuuiera vn año sin comer, escuchándote e pensando en aquella vida buena, que aquellas moças gozarían, que me parece e semeja que estó yo agora en ella. Mi venida, señora, es lo que tú sabrás: pedirte el ceñidero e, demás desto, te ruega mi señora sea de tí visitada e muy presto, porque se siente muy fatigada de desmayos e de dolor del coraçón. 10

Cel.—Hija, destos dolorcillos tales, más es el ruydo que las nuezes. Marauillada estoy sentirse del coraçón muger tan moça.

Lucr.—¡Assí te arrastren, traydora! ¿Tú no 15 sabes qué es? Haze la vieja falsa sus hechizos e vasse; después házese de nueuas.

Cel.—¿Qué dizes, hija?

Lucr.—Madre, que vamos presto e me dés el cordón. 20

Cel.—Vamos, que yo le lleuo.

---

12 Corr., 447: *Más es el ruido que las nueces; cagajones descabeces.*
15 *Arrastrar,* antiguo castigo, de donde *arrastro, vida arrastrada.*

EL DECIMO AUCTO

ARGUMENTO

DEL DÉCIMO AUTO

Mientra andan Celestina e Lucrecia por el camino, está
5 hablando Melibea consigo misma. Llegan a la puerta. Entra Lucrecia primero. Haze entrar a Celestina. Melibea, después de muchas razones, descubre a Celestina arder en amor
de Calisto. Veen venir a Alisa, madre de Melibea. Despídense
d' en vno. Pregunta Alisa a Melibea de los negocios de Ce-
10 lestina, defendiéndole su mucha conuersación.

MELIBEA, CELESTINA, LUCRECIA, ALISA

MELIB.—¡O lastimada de mí! ¡O malprouey-
da donzella! ¿E no me fuera mejor conceder
su petición e demanda ayer a Celestina, quando
15 de parte de aquel señor, cuya vista me catiuó,
me fué rogado, e contentarle a él e sanar a mí,
que no venir por fuerça a descobrir mi llaga,
quando no me sea agradecido, quando ya, des-
confiando de mi buena respuesta, aya puesto
20 sus ojos en amor de otra? ¡Quánta más ventaja touiera mi prometimiento rogado, que mi
ofrecimiento forçoso! ¡O mi fiel criada Lucrecia! ¿Qué dirás de mí? ¿qué pensarás de mi

seso, quando me veas publicar lo que a tí jamás
he quesido descobrir? ¡Cómo te espantarás del
rompimiento de mi honestidad e vergüença, que
siempre como encerrada donzella acostumbré
tener! No sé si aurás barruntado de dónde pro- 5
ceda mi dolor. ¡O, si ya veniesses con aquella
medianera de mi salud! ¡O soberano Dios! A
tí, que todos los atribulados llaman, los apassionados piden remedio, los llagados medicina; a
tí, que los cielos, mar e tierra con los infernales 10
centros obedecen; a tí, el qual todas las cosas
a los hombres sojuzgaste, humilmente suplico-
co dés a mi herido coraçón sofrimiento e paciencia, con que mi terrible passión pueda disi-
mular. No se desdore aquella hoja de castidad, 15
que tengo assentada sobre este amoroso desseo,
publicando ser otro mi dolor, que no el que me
atormenta. Pero, ¿cómo lo podré hazer, lasti-
mándome tan cruelmente el ponçoñoso bocado,
que la vista de su presencia de aquel cauallero 20
me dió? ¡O género femíneo, encogido e frágile!
¿Porqué no fué también a las hembras concedido poder descobrir su congoxoso e ardiente
amor, como a los varones? Que ni Calisto biuiera
quexoso ni yo penada. 25

LUCR.—Tía, detente vn poquito cabo esta
puerta. Entraré a uer con quién está hablando
mi señora. Entra, entra, que consigo lo ha.

MELIB.—Lucrecia, echa essa antepuerta. ¡O
vieja sabia e honrrada, tú seas bienvenida!
¿Qué te parece, cómo ha querido mi dicha e la
fortuna ha rodeado que yo tuuiesse de tu sa-
5 ber necessidad, para que tan presto me houiesses
de pagar en la misma moneda el beneficio que
por tí me fué demandado para esse gentilhombre, que curauas con la virtud de mi cordón?

CEL.—¿Qué es, señora, tu mal, que assí mues-
10 tra las señas de su tormento en las coloradas
colores de tu gesto?

MELIB.—Madre mía, que comen este coraçón
serpientes dentro de mi cuerpo.

CEL.—Bien está. Assí lo quería yo. Tú me
15 pagarás, doña loca, la sobra de tu yra.

MELIB.—¿Qué dizes? ¿Has sentido en verme
alguna causa, donde mi mal proceda?

CEL.—No me as, señora, declarado la calidad
del mal. ¿Quieres que adeuine la causa? Lo que
20 yo digo es que rescibo mucha pena de ver triste
tu graciosa presencia.

---

1 Es digna de toda alabanza la manera con que trata
el autor en este auto los delicadísimos rodeos de una alma
virginal enamorada, que lucha entre la pasión y el empacho por darse a partido, y no menos la ingeniosa traza que
la vieja toma y el tiento con que procede para ayudarla
en tan dificultoso parto. Es un estudio psicológico y aná-
lisis del alma femenina, de subido valor. *Antepuerta*, cor-
tina, o paño o cancel delante de la puerta, que hoy llaman
feamente *portier*, que acá es *el portero*.

MELIB.—Vieja honrrada, alégramela tú, que grandes nueuas me han dado de tu saber.

CEL.—Señora, el sabidor solo es Dios; pero, como para salud e remedio de las enfermedades fueron repartidas las gracias en las gentes de hallar las melezinas, dellas por esperiencia, dellas por arte, dellas por natural instinto, alguna partezica alcançó a esta pobre vieja, de la qual al presente podrás ser seruida.

MELIB.—¡O qué gracioso e agradable me es oyrte! Saludable es al enfermo la alegre cara del que le visita. Parésceme que veo mi coraçón entre tus manos fecho pedaços. El qual, si tú quisiesses, con muy poco trabajo juntarías con la virtud de tu lengua: no de otra manera que, quando vió en sueños aquel grande Alexandre, rey de Macedonia, en la boca del dragón la saludable rayz con que sanó a su criado Tolomeo del bocado de la bíuora. Pues, por amor de Dios, te despojes para muy diligente entender en mi mal e me dés algún remedio.

CEL.—Gran parte de la salud es dessearla, por lo qual creo menos peligroso ser tu dolor. Pero para yo dar, mediante Dios, congrua e saludable melezina, es necessario saber de tí tres

19 Alejandro, a quien curó así, fué a Cratero: "Como en sueños viese enfermo a Cratero, ordenó hacer sacrificios por su salud, e hízolos él mismo, y escribiendo a su médico Pausanias le mandó le cuidase y le curase con heléboro (ἐλλεβορισαι)." Así PLUTARCO en la *Vida de Alejandro*.

cosas. La primera, a qué parte de tu cuerpo
más declina e aquexa el sentimieuto. Otra, si
es nueuamente por tí sentido, porque más presto se curan las tiernas enfermedades en sus
5 principios, que quando han hecho curso en la
perseueración de su oficio; mejor se doman los
animales en su primera edad, que quando ya es
su cuero endurecido, para venir mansos a la melena; mejor crescen las plantas, que tiernas e
10 nueuas se trasponen, que las que frutificando
ya se mudan; muy mejor se despide el nueuo
pecado, que aquel que por costumbre antigua
cometemos cada día. La tercera, si procede de
algún cruel pensamiento, que asentó en aquel
15 lugar. E esto sabido, verás obrar mi cura. Por
ende cumple que al médico como al confessor
se hable toda verdad abiertamente.

MELIB.—Amiga Celestina, muger bien sabia
e maestra grande, mucho has abierto el camino
20 por donde mi mal te pueda especificar. Por
cierto, tú lo pides como muger bien esperta en
curar tales enfermedades. Mi mal es de coraçón, la ysquierda teta es su aposentamiento,
tiende sus rayos a todas partes. Lo segundo, es
25 nueuamente nacido en mi cuerpo. Que no pensé
jamás que podía dolor priuar el seso, como este
haze. Túrbame la cara, quítame el comer, no

---

8 *Venir a la melena*, ser dócil y manso. CORR., 615:
Venir a la melena. (Sujetarse.)

puedo dormir, ningún género de risa querría
ver. La causa o pensamiento, que es la final
cosa por tí preguntada de mi mal, ésta no sabré
dezir. Porque ni muerte de debdo ni pérdida de
temporales bienes ni sobresalto de visión ni 5
sueño desuariado ni otra cosa puedo sentir, que
fuesse, saluo la alteración, que tú me causaste
con la demanda, que sospeché de parte de aquel
cauallero Calisto, quando me pediste la oración.

CEL.—¿Cómo, señora, tan mal hombre es 10
aquel? ¿Tan mal nombre es el suyo, que en solo
ser nombrado trae consigo ponçoña su sonido?
No creas que sea essa la causa de tu sentimiento, antes otra que yo barrunto. E pues que assí
es, si tú licencia me das, yo, señora, te la diré. 15

MELIB.—¿Cómo, Celestina? ¿Qué es esse nueuo salario, que pides? ¿De licencia tienes tú
necessidad para me dar la salud? ¿Quál físico
jamás pidió tal seguro para curar al paciente?
Dí, dí, que siempre la tienes de mí, tal que mi 20
honrra no dañes con tus palabras.

CEL.—Véote, señora, por vna parte quexar
el dolor, por otra temer la melezina. Tu temor
me pone miedo, el miedo silencio, el silencio tre-
gua entre tu llaga e mi melezina. Assí que será 25
causa, que ni tu dolor cesse ni mi venida apro-
ueche.

MELIB.—Quanto más dilatas la cura, tanto
más me acrecientas e multiplicas la pena e pas-

sión. O tus melezinas son de poluos de infamia
e licor de corrupción, conficionados con otro más
crudo dolor, que el que de parte del paciente se
siente, o no es ninguno tu saber. Porque si lo
5 vno o lo otro no abastasse, qualquiera remedio
otro darías sin temor, pues te pido le muestres,
quedando libre mi honrra.

CEL.—Señora, no tengas por nueuo ser más
fuerte de sofrir al herido la ardiente trementina
10 e los ásperos puntos, que lastiman lo llagado
e doblan la passión, que no la primera lisión,
que dió sobre sano. Pues si tú quieres ser sana
e que te descubra la punta de mi sotil aguja sin
temor, haz para tus manos e pies vna ligadura
15 de sosiego, para tus ojos vna cobertura de piedad, para tu lengua vn freno de silencio, para
tus oydos vnos algodones de sofrimiento e paciencia, e verás obrar a la antigua maestra destas llagas.

20 MELIB.—¡O cómo me muero con tu dilatar!
Dí, por Dios, lo que quisieres, haz lo que su-
pieres, que no podrá ser tu remedio tan áspero
que yguale con mi pena e tormento. Agora toque en mi honrra, agora dañe mi fama, agora
25 lastime mi cuerpo, avnque sea romper mis carnes para sacar mi dolorido coraçón, te doy mi
fe ser segura e, si siento aliuio, bien galardo-
nada.

_____

5 _No abastasse, en_ V: _no te impidiesse._

LUCR.—El seso tiene perdido mi señora. Gran mal es este. Catiuádola ha esta hechizera.

CEL.—Nunca me ha de faltar vn diablo acá e acullá: escapóme Dios de Pármeno, tópome con Lucrecia.

MELIB.—¿Qué dizes, amada maestra? ¿Qué te fablaua esa moça?

CEL.—No le oy nada. *Pero diga lo que dixere, sabe que no ay cosa más contraria en las grandes curas delante los animosos çurujanos, que los flacos coraçones, los quales con su gran lástima, con sus doloriosas hablas, con sus sentibles meneos, ponen temor al enfermo, fazen que desconfíe de la salud e al médico enojan e turban e la turbación altera la mano, rige sin orden la aguja. Por donde se puede conocer claro,* que es muy necessario para tu salud que no esté persona delante e assí que la deues mandar salir. E tú, hija Lucrecia, perdona.

MELIB.—Salte fuera presto.

LUCR.—¡Ya! ¡ya! ¡Todo es perdido! Ya me salgo, señora.

CEL.—También me da osadía tu gran pena, como ver que con tu sospecha has ya tragado alguna parte de mi cura; pero todavía es necessario traer más clara melezina e más sa-

---

17 *Que es muy necessario*, en *B* delante de esta frase hay: *Lo que digo es;* lo añadido por el corrector es agua de cerrajas.

ludable descanso de casa de aquel cauallero Calisto.

MELIB.—Calla, por Dios, madre. No traygan
de su casa cosa para mi prouecho ni le nom-
₅ bres aquí.

CEL.—Sufre, señora, con paciencia, que es el
primer punto e principal. No se quiebre; si no,
todo nuestro trabajo es perdido. Tu llaga es
grande, tiene necessidad de áspera cura. E lo
₁₀ duro con duro se ablanda más eficacemente. E
dizen los sabios que la cura del lastimero médico dexa mayor señal e que nunca peligro sin
peligro se vence. Ten paciencia, que pocas vezes lo molesto sin molestia se cura. E vn clavo
₁₅ con otro se espele e vn dolor con otro. No con-
cibas odio ni desamor ni consientas a tu lengua
dezir mal de persona tan virtuosa como Calisto,
que si conocido fuesse...

MELIB.—¡O por Dios, que me matas! ¿E no
₂₀ te tengo dicho que no me alabes esse hombre
ni me le nombres en bueno ni en malo?

CEL.—Señora, este es otro e segundo punto,
el qual si tú con tu mal sofrimiento no consientes, poco aprouechará mi venida, e si, como pro-
₂₅ metiste, lo sufres, tú quedarás sana e sin debda
e Calisto sin quexa e pagado. Primero te auisé

---

14   CORR., 162: *Un clavo saca a otro o un clavo arranca
a otro.* Idem, 161: *Un amor saca a otro.* (Como: *Un clavo
saca otro clavo.*)

de mi cura e desta inuisible aguja, que sin llegar a tí, sientes en solo mentarla en mi boca.

MELIB.—Tantas vezes me nombrarás esse tu cauallero, que ni mi promesa baste ni la fe, que te dí, a sofrir tus dichos. ¿De qué ha de quedar pagado? ¿Qué le deuo yo a él? ¿Qué le soy a cargo? ¿Qué ha hecho por mí? ¿Qué necessario es él aquí para el propósito de mi mal? Más agradable me sería que rasgases mis carnes e sacasses mi coraçón, que no traer essas palabras aquí.

CEL.—Sin te romper las vestiduras se lançó en tu pecho el amor: no rasgaré yo tus carnes para le curar.

MELIB.—¿Cómo dizes que llaman a este mi dolor, que assí se ha enseñoreado en lo mejor de mi cuerpo?

CEL.—Amor dulce.

MELIB.—Esso me declara qué es, que en solo oyrlo me alegro.

CEL.—Es vn fuego escondido, vna agradable llaga, vn sabroso veneno, vna dulce amargura, vna delectable dolencia, vn alegre tormento, vna dulce e fiera herida, vna blanda muerte.

---

21 *Es un fuego escondido.* Del Petrarca, *De Remed.*, 1, 69 (trad. FERNAND.) : "El amor es un ascondido fuego, una agradable llaga, un sabroso rejalgar, una dulce amargura, una delectable enfermedad, un alegre tormento e una blanda muerte."

MELIB.—¡Ay mezquina de mí! Que si verdad es tu relación, dubdosa será mi salud. Porque, según la contrariedad que essos nombres entre sí muestran, lo que al vno fuere prouechoso
5 acarreará al otro más passión.

CEL.—No desconfíe, señora, tu noble juuentud de salud. Que, quando el alto Dios dá la llaga, tras ella embía el remedio. Mayormente que sé yo al mundo nascida vna flor que de
10 todo esto te dé libre.

MELIB.—¿Cómo se llama?

CEL.—No te lo oso dezir.

MELIB.—Dí, no temas.

CEL.—¡Calisto! ¡O por Dios, señora Melibea!
15 ¿qué poco esfuerço es este? ¿Qué descaescimiento? ¡O mezquina yo! ¡Alça la cabeça! ¡O malauenturada vieja! ¡En esto han de parar mis passos! Si muere, matarme han; avnque biua, seré sentida, que ya no podrá sofrirse de no
20 publicar su mal e mi cura. Señora mía Melibea, ángel mío, ¿qué has sentido? ¿Qué es de tu habla graciosa? ¿Qué es de tu color alegre? Abre tus claros ojos. ¡Lucrecia! ¡Lucrecia! ¡entra presto acá!, verás amortescida a tu señora
25 entre mis manos. Baxa presto por vn jarro de agua.

---

7 *Proverbios de Séneca con glosa*, Sevilla, 1500, f. 7: "Esa mesma cosa que la llaga del amor fazela sana."

MELIB.—Passo, passo, que yo me esforçaré. No escandalizes la casa.

CEL.—¡O cuytada de mí! No te descaezcas, señora, háblame como sueles.

MELIB.—E muy mejor. Calla, no me fatigues. 5

CEL.—¿Pues qué me mandas que faga, perla graciosa? ¿Qué ha sido este tu sentimiento? Creo que se van quebrando mis puntos.

MELIB.—Quebróse mi honestidad, quebróse mi empacho, afloxó mi mucha vergüença, e como 10 muy naturales, como muy domésticos, no pudieron tan liuianamente despedirse de mi cara, que no lleuassen consigo su color por algún poco de espacio, mi fuerça, mi lengua e gran parte de mi sentido. ¡O! pues ya, mi buena maestra, 15 mi fiel secretaria, lo que tú tan abiertamente conoces, en vano trabajo por te lo encubrir. Muchos e muchos días son passados que esse noble cauallero me habló en amor. Tanto me fué entonces su habla enojosa, quanto, después que tú 20 me le tornaste a nombrar, alegre. Cerrado han tus puntos mi llaga, venida soy en tu querer. En mi cordón le lleuaste embuelta la posesión de mi libertad. Su dolor de muelas era mi mayor tormento, su pena era la mayor mía. Alabo e loo 25 tu buen sofrimiento, tu cuerda osadía, tu liberal trabajo, tus solícitos e fieles passos, tu agradable habla, tu buen saber, tu demasiada solicitud, tu prouechosa importunidad. Mucho te

deue esse señor e mas yo, que jamás pudieron
mis reproches aflacar tu esfuerço e perseverar,
confiando en tu mucha astucia. Antes, como fiel
seruidora, quando más denostada, más diligen-
5 te; quando más disfauor, más esfuerço; quando
peor respuesta, mejor cara; quando yo más
ayrada, tú más humilde. Pospuesto todo temor,
has sacado de mi pecho lo que jamás a tí ni a
otro pensé descobrir.

10 CEL.—Amiga e señora mía, no te marauilles,
porque estos fines con efecto me dan osadía a
sofrir los ásperos e escrupulosos desuíos de las
encerradas donzellas como tú. Verdad es que
ante que me determinasse, assí por el camino,
15 como en tu casa, estuue en grandes dubdas si te
descobriría mi petición. Visto el gran poder de
tu padre, temía; mirando la gentileza de Calisto, osaua; vista tu discreción, me recelaua; mirando tu virtud e humanidad, me esforçaua. En
20 lo vno fablaua el miedo e en lo otro la seguridad. E pues assí, señora, has quesido descubrir
la gran merced, que nos has hecho, declara tu
voluntad, echa tus secretos en mi regaço, pon
en mis manos el concierto deste concierto. Yo
25 daré forma cómo tu desseo e el de Calisto sean
en breue complidos.

MELIB.—¡O mi Calisto e mi señor! ¡Mi dulce
e suaue alegría! Si tu coraçón siente lo que agora

---

2 *A-flac-ar*, en-flaqu-ecer.

el mío, marauillada estoy cómo la absencia te consiente viuir. ¡O mi madre e mi señora!, haz de manera cómo luego le pueda ver, si mi vida quieres.

CEL.—Ver e hablar. 5

MELIB.—¿Hablar? Es impossible.

CEL.—Ninguna cosa a los hombres, que quieren hazerla, es impossible.

MELIB.—Dime cómo.

CEL.—Yo lo tengo pensado, yo te lo diré: por 10 entre las puertas de tu casa.

MELIB.—¿Quándo?

CEL.—Esta noche.

MELIB.—Gloriosa me serás, si lo ordenas. Di a qué hora. 15

CEL.—A las doze.

MELIB.—Pues vé, mi señora, mi leal amiga, e fabla con aquel señor e que venga muy paso e d'allí se dará concierto, según su voluntad, a la hora que has ordenado. 20

CEL.—Adios, que viene házia acá tu madre.

MELIB.—Amiga Lucrecia e mi *leal criada e* fiel secretaria, ya has visto cómo no ha sido más en mi mano. Catiuóme el amor de aquel cauallero. Ruégote, por Dios, se cubra con secreto 25 sello, porque yo goze de tan suaue amor. Tú se-

---

5 CEL. *Ver e hablar.* Falta en *V.*

rás de mí tenida en aquel lugar que merece
tu fiel seruicio.

LUCR.—*Señora, mucho antes de agora tengo
sentida tu llaga e calado tu desseo. Hame fuer-*
5 *temente dolido tu perdición. Quanto más tú me
querías encobrir y celar el fuego, que te que-
maua, tanto más sus llamas se manifestauan en
la color de tu cara, en el poco sossiego del coraçón, en el meneo de tus miembros, en comer*
10 *sin gana, en el no dormir. Assí que contino te
se cayan, como de entre las manos, señales muy
claras de pena. Pero como en los tiempos que la
voluntad reyna en los señores o desmedido apetito, cumple a los seruidores obedecer con dili-*
15 *gencia corporal e no con artificiales consejos de
lengua, sufría con pena, callaua con temor, encobría con fieldad; de manera que fuera mejor
el áspero consejo que la blanda lisonja.* Pero,
pues ya no tiene tu merced otro medio, sino mo-
20 rir o amar, mucha razón es que se escoja por
mejor aquello que en sí lo es.

ALI.—¿En qué andas acá, vezina, cada día?
CEL.—Señora, faltó ayer vn poco de hilado
al peso e vínelo a cumplir, porque dí mi pala-
25 bra e, traydo, voyme. Quede Dios contigo.

---

3   En vez de esta parrafada de Lucrecia hay en *B: Antes de agora lo he sentido e me ha pesado.* Antes y más que
Lucrecia lo hubieran notado sus padres. La mujer es muy
cauta, algo más de lo que se figuraba el corrector.

ALI.—E contigo vaya.

ALI.—Hija Melibea, ¿qué quería la vieja?

MELIB.—Venderme vn poquito de solimán.

ALI.—Esso creo yo más que lo que la vieja
ruyn dixo. Pensó que recibiría yo pena dello e ⁵
mintióme. Guarte, hija, della, que es gran traydora. Que el sotil ladrón siempre rodea las ricas
moradas. Sabe esta con sus trayciones, con sus
falsas mercadurías, mudar los propósitos castos.
Daña la fama. A tres vezes que entra en vna ¹⁰
casa, engendra sospecha.

LUCR. (Aparte). — Tarde acuerda nuestra
ama.

ALI.—Por amor mío, hija, que si acá tornare
sin verla yo, que no ayas por bien su venida ni ¹⁵
la recibas con plazer. Halle en tí onestidad en tu
respuesta e jamás boluerá. Que la verdadera virtud más se teme que espada.

MELIB.—¿Dessas es? ¡Nunca más! Bien huelgo, señora, de ser auisada, por saber de quién ²⁰
me tengo de guardar.

EL AUCTO ONZENO

ARGUMENTO

DEL ONZENO AUTO

Despedida Celestina de Melibea, va por la calle sola ha-
5 blando. Vee a Sempronio e a Pármeno que van a la Magdalena por su señor. Sempronio habla con Calisto. Sobreuiene
Celestina. Van a casa de Calisto. Declárale Celestina su
mensaje e negocio recaudado con Melibea. Mientra ellos en
estas razones están, Pármeno e Sempronio entre sí hablan.
10 Despídese Celestina de Calisto, va para su casa, llama a la
puerta. Elicia le viene a abrir. Cenan e vanse a dormir.

CALISTO, CELESTINA, PÁRMENO, SEMPRONIO, ELICIA

CEL.—¡Ay Dios, si llegasse a mi casa con mi
mucha alegría acuestas! A Pármeno e a Sem-
15 pronio veo yr a la Magdalena. Tras ellos me
voy e, si ay no estouiere Calisto, passaremos
a su casa a pedirle las albricias de su gran gozo.

SEMP.—Señor, mira que tu estada es dar a
todo el mundo que dezir. Por Dios, que huygas
20 de ser traydo en lenguas, que al muy deuoto llaman ypócrita. ¿Qué dirán sino que andas royendo los sanctos? Si passión tienes, súfrela en tu
casa; no te sienta la tierra. No descubras tu pena

a los estraños, pues está en manos el pandero
que lo sabrá bien tañer.

CAL.—¿En qué manos?

SEMP.—De Celestina.

CEL.—¿Qué nombrays a Celestina? ¿Qué dezís 5
desta esclaua de Calisto? Toda la calle del Arci-
diano vengo a más andar tras vosotros por al-
cançaros e jamás he podido con mis luengas
haldas.

CAL.—¡O joya del mundo, acorro de mis pas- 10
siones, espejo de mi vista! El coraçón se me alegra en ver essa honrrada presencia, essa noble
senetud. Dime, ¿con qué vienes? ¿Qué nueuas
traes, que te veo alegre e no sé en qué está mi
vida? 15

CEL.—En mi lengua.

CAL.—¿Qué dizes, gloria e descanso mío? De-
clárame más lo dicho.

CEL.—Salgamos, señor, de la yglesia e de aquí
a casa te contaré algo con que te alegres de 20
verdad.

PÁRM.—Buena viene la vieja, hermano: re-
cabdado deue hauer.

SEMP.—Escúchala.

CEL.—Todo este día, señor, he trabajado en 25
tu negocio e he dexado perder otros en que harto
me yua. Muchos tengo quexosos por tenerte a tí

---

1 Así en el *Quijote*, 2, 22.

contento. Más he dexado de ganar que piensas.
Pero todo vaya en buena hora, pues tan buen
recabdo traygo, que te traygo muchas buenas
palabras de Melibea e la dexo a tu servicio.

5   CAL.—¿Qué es esto que oygo?

CEL.—Que es más tuya que de sí misma; más
está a tu mandato e querer que de su padre
Pleberio.

CAL.—Habla cortés, madre, no digas tal cosa,
10 que dirán estos moços que estás loca. Melibea es
mi señora, Melibea es mi Dios, Melibea es mi
vida; yo su catiuo, yo su sieruo.

SEMP.—Con tu desconfiança, señor, con tu
poco preciarte, con tenerte en poco, hablas essas
15 cosas con que atajas su razón. A todo el mundo turbas diziendo desconciertos. ¿De qué te
santiguas? Dale algo por su trabajo: harás mejor, que esso esperan essas palabras.

CAL.—Bien has dicho. Madre mía, yo sé cier-
20 to que jamás ygualará tu trabajo e mi liuiano
gualardón. En lugar de manto e saya, porque no se dé parte a oficiales, toma esta cadenilla, ponla al cuello e procede en tu razón e mi
alegría.

25   PÁRM.—¿Cadenilla la llama? ¿No lo oyes,
Sempronio? No estima el gasto. Pues yo te cer-

---

3 En vez de *que te traygo... servicio*, hay en *V: El óyeme,
que en pocas palabras te lo diré, que soy corta de razón: a
Melibea dexo a tu servicio.*

tifico no diesse mi parte por medio marco de oro, por mal que la vieja lo reparta.

SEMP.—Oyrte ha nuestro amo, ternémos en él que amansar y en tí que sanar, según está inchado de tu mucho murmurar. Por mi amor, hermano, que oygas e calles, que por esso te dió Dios dos oydos e vna lengua sola.

PÁRM.—¡Oyrá el diablo! Está colgado de la boca de la vieja, sordo e mudo e ciego, hecho personaje sin son, que, avnque le diésemos higas, diría que alçauamos las manos a Dios, rogando por buen fin de sus amores.

SEMP.—Calla, oye, escucha bien a Celestina. En mi alma, todo lo merece e más que le diese. Mucho dize.

CEL.—Señor Calisto, para tan flaca vieja como yo, de mucha franqueza vsaste. Pero, como todo don o dádiua se juzgue grande o chica respecto del que lo da, no quiero traer a consequencia mi

1 *Marco*, peso que era la mitad de una libra. Habíalo en oro y en plata: el de oro se dividía en 50 castellanos; cada castellano, en ocho tomines; cada tomín, en doce granos; el de plata, en ocho onzas; cada onza, en ocho ochavas, y cada ochava, en 75 granos. *Recop.*, l. 5, t. 22, l. 4.

5 *Inchado*, enojado. J. ENC., 8: Juan el sacristan, | que anda hinchado de mí. De aquí *hincha* enojo. La razón y origen en CEJADOR, *Tesoro*, L, 28.

8 ¡Qué ha de oir! Del *diablo* se dijo *El pecado sea sordo*, porque diablo y pecado es todo uno (HITA, mi edic.).

10 CORR., 576: *Dar higa.* (Por desdén: higa es hecha del dedo pulgar, metido entre los dos siguientes, y el de enseñar el mayor, cerrado el puño.) Acerca de su obsceno significado, antiquísimo origen y ejemplos, en CEJADOR, *Tesoro, Silbant.*, 87.

poca merecer; ante quien sobra en qualidad e en quantidad. Mas medirse ha con tu magnificencia, ante quien no es nada. En pago de la qual te restituyo tu salud, que yua perdida; tu cora-
5 çón, que te faltaua; tu seso, que se alteraua. Melibea pena por tí más que tú por ella, Melibea te ama e dessea ver, Melibea piensa más horas en tu persona que en la suya, Melibea se llama tuya e esto tiene por título de libertad e con
10 esto amansa el fuego, que más que a tí la quema.

CAL.—¿Moços, estó yo aquí? ¿Moços, oygo yo esto? Moços, mirá si estoy despierto. ¿Es de día o de noche? ¡O señor Dios, padre celestial! ¡Ruégote que esto no sea sueño! ¡Despierto, pues,
15 estoy! Si burlas, señora, de mí por me pagar en palabras, no temas, dí verdad, que para lo que tú de mí has recebido, más merecen tus passos.

CEL.—Nunca el coraçón lastimado de deseo toma la buena nueua por cierta ni la mala por
20 dudosa; pero, si burlo o si no, verlo has yendo esta noche, según el concierto dexo con ella, a su casa, en dando el relox doze, a la hablar por entre las puertas. De cuya boca sabrás más por entero mi solicitud e su desseo e el amor que te
25 tiene e quién lo ha causado.

CAL.—Ya, ya, ¿tal cosa espero? ¿Tal cosa es possible hauer de passar por mí? Muerto soy de

---

15 *Pagar*, contentar. (CEJADOR, *Vocab. medieval;* HITA, mi edic.)

aquí allá, no soy capaz de tanta gloria, no merecedor de tan gran merced, no digno de fablar
con tal señora de su voluntad e grado.

CEL.—Siempre lo oy dezir, que es más difí-
cile de sofrir la próspera fortuna que la aduer-   *
sa: que la vna no tiene sosiego e la otra tiene
consuelo. ¿Cómo, señor Calisto, e no mirarías
quién tú eres? ¿No mirarías el tiempo que has
gastado en su seruicio? ¿No mirarías a quién
has puesto entremedias? ¿E asimismo que hasta   10
agora siempre as estado dudoso de la alcançar
e tenías sofrimiento? Agora que te certifico el
fin de tu penar ¿quieres poner fin a tu vida?
Mira, mira que está Celestina de tu parte e que,
avnque todo te faltasse lo que en vn enamorado   15
se requiere, te vendería por el más acabado ga-
lán del mundo, que te haría llanas las peñas para
andar, que te faría las más crescidas aguas co-

---

4 Alude al *Prólogo* del l. 1 *De Remediis*, del Petrarca,
donde traduce Francisco Madrid: "Dos contiendas tenemos
con la fortuna y en entramas en alguna manera ygual peligro. De las quales aquella sola conosce la vulgar gente que
se llama adversidad. Los philosophos, aunque las conocen
ambas, esta tienen por mas dificil. Muestralo bien Aristóteles
alegando de su derecho en la éthica donde dice: Mas difficil
es suffrir las cosas adversas, que abstenerse de las próspe-
ras. Al qual siguiendo Seneca escrive a Lucillo: Mayor
cosa es sostener las cosas tristes, que moderar las alegres."
10 *Entremedias*, vulgar todavía, en medio, por tercera
que te sirva de *intermediaria. Pero Niño*, 2, 1: Con un poco
de sobre entremedias.
12 *Sofrimiento*, paciencia, *sufrir*, padecer llevando en paciencia, por padecer lo usan malamente hoy.

rrientes pasar sin mojarte. Mal conoces a quien
das tu dinero.

CAL.—¡Cata, señora! ¿Qué me dizes? ¿Que
verná de su grado?

5   CEL.—E avn de rodillas.

SEMP.—No sea ruydo hechizo, que nos quie-
ran tomar a manos a todos. Cata, madre, que
assí se suelen dar las çaraças en pan embueltas,
porque no las sienta el gusto.

10   PÁRM.—Nunca te oy dezir mejor cosa. Mucha sospecha me pone el presto conceder de
aquella señora e venir tan ayna en todo su querer de Celestina, engañando nuestra voluntad
con sus palabras dulces e prestas por hurtar por
15 otra parte, como hazen los de Egypto quando
el signo nos catan en la mano. *Pues alahé, madre, con dulces palabras están muchas injurias
vengadas. El manso boyzuelo con su blando cencerrar trae las perdizes a la red; el canto de la*
20 *serena engaña los simples marineros con su
dulçor. Assí esta con su mansedumbre e con-
cession presta querrá tomar vna manada de nosotros a su saluo; purgará su innocencia con la
honrra de Calisto e con nuestra muerte. Assí*

---

6 CORR., 483: *Ruido hechizo; fué ruido hechizo.* (El
fingido para algún engaño.) *Tomarle a manos,* echarle mano, cogerle.

15 *Los de Egypto,* los gitanos, así llamados, o *egipcia-
nos,* por creerse vinieron de Egipto, y que echan la buena-
ventura mirando a la mano o tomándosela.

como corderica mansa que mama su madre e la
ajena, ella con su segurar tomará la vengança
de Calisto en todos nosotros, de manera que,
con la mucha gente que tiene, podrá caçar a pa-
dres e hijos en vna nidada e tú estarte has ras- 5
cando a tu fuego, diziendo: a saluo está el que
repica.

CAL.—¡Callad, locos, vellacos, sospechosos!
Parece que days a entender que los ángeles se-
pan hazer mal. Sí, que Melibea ángel dissimu- 10
lado es, que viue entre nosotros.

SEMP.—¿Todauía te buelues a tus eregías?
Escúchale, Pármeno. No te pene nada, que, si
fuere trato doble, él lo pagará, que nosotros
buenos pies tenemos. 15

CEL.—Señor, tú estás en lo cierto; vosotros
cargados de sospechas vanas. Yo he hecho todo
lo que a mí era a cargo. Alegre te dexo. Dios
te libre e aderece. Pártome muy contenta. Si
fuere menester para esto o para más, allí estoy 20
muy aparejada a tu seruicio.

PÁRM.—¡Hi! ¡hi! ¡hi!

SEMP.—¿De qué te ríes, por tu vida, Pármeno?

PÁRM.—De la priessa que la vieja tiene por 25

---

1 CORR., 177: *La cordera mansa mama a su madre y*
a toda la piara. Idem, 95: *El cordero manso mama a su ma-*
dre y a eualquiera; y el bravo ni a la suya ni a la ajena.
Idem, 349: *Corderilla mega mama a su madre y a la ajena.*
6 Tranquilo. *A salvo... Quij.*, 2, 31.
23 *Pármeno*, falta en *V.*

yrse. No vee la hora que hauer despegado la cadena de casa. No puede creer que la tenga en su poder ni que se la han dado de verdad. No se halla digna de tal don, tan poco como
5 Calisto de Melibea.

SEMP.—¿Qué quieres que haga vna puta alcahueta, que sabe e entiende lo que nosotros nos callamos e suele hazer siete virgos por dos monedas, después de verse cargada de oro, sino
10 ponerse en saluo con la possession, con temor no se la tornen a tomar, después que ha complido de su parte aquello para que era menester? ¡Pues guárdese del diablo, que sobre el partir no le saquemos el alma!

15 CAL.—Dios vaya contigo, madre. Yo quiero dormir e reposar vn rato para satisfazer a las passadas noches e complir con la por venir.

CEL.—Tha, tha.

ELIC.—¿Quién llama?

20 CEL.—Abre, hija Elicia.

ELIC.—¿Cómo vienes tan tarde? No lo deues hazer, que eres vieja; tropeçarás donde caygas e mueras.

CEL.—No temo esso, que de día me auiso por

---

1 *Despegado*, sacádola vendiéndola; *que*, así en *V* y *B*, etcétera.
24 *Me aviso*, tomo aviso y consejo. J. PIN., *Agr.*, 10, 16: Por el castigo el necio se avisa y anda remirado en lo que debe hacer.

donde venga de noche. *Que jamás me subo por poyo ni calçada, sino por medio de la calle. Porque, como dizen: no da passo seguro quien corre por el muro e que aquel va más sano que anda por llano. Más quiero ensuziar mis zapatos con* 5 *el lodo que ensangrentar las tocas e los cantos. Pero* no te duele a tí en esse lugar.

ELIC.—¿Pues qué me ha de doler?

CEL.—Que se fué la companía que te dexé, e quedaste sola.   10

ELIC.—Son passadas quatro horas *después* ¿e hauíaseme de acordar desso?

CEL.—Quanto más presto te dexaron, más con razón lo sentiste. Pero dexemos su yda e mi tardança. Entendamos en cenar e dormir.   15

---

3 CORR., 230: *No da paso seguro quien corre por el muro.* (Aquel va más sano, que va por lo llano.) Para endilgar estos refranes puso el corrector semejantes frialdades como las que siguen.

EL AUCTO DOZENO

ARGUMENTO

DEL DOZENO AUTO

Llegando la media noche, Calisto, Sempronio e Pármeno
5 armados van para casa de Melibea. Lucrecia e Melibea están
cabe la puerta, aguardando a Calisto. Viene Calisto. Há-
blale primero Lucrecia. Llama a Melibea. Apártase Lucrecia. Háblanse por entre las puertas Melibea e Calisto. Pármeno e Sempronio de su cabo departen. Oyen gentes por la
10 calle. Apercíbense para huyr. Despídese Calisto de Melibea,
dexando concertada la tornada para la noche siguiente. Pleberio, al son del ruydo que hauía en la calle, despierta,
llama a su muger Alisa. Preguntan a Melibea quién da patadas en su cámara. Responde Melibea a su padre Pleberio
15 fingendo que tenía sed. Calisto con sus criados va para su
casa hablando. Echase a dormir. Pármeno e Sempronio van
a casa de Celestina. Demandan su parte de la ganancia. Dissi-
mula Celestina. Vienen a reñir. Echanle mano a Celestina,
mátanla. Da vozes Elicia. Viene la justicia e prendelos amos.

20   CALISTO, LUCRECIA, MELIBEA, SEMPRONIO, PÁRMENO,
          PLEBERIO, ALISA, CELESTINA, ELICIA

CAL.—¿Moços, qué hora da el relox?

SEMP.—Las diez.

CAL.—¡O cómo me descontenta el oluido en
25 los moços! De mi mucho acuerdo en esta noche

---

25 *Acuerdo*, estar despierto, como *acordar* por despertar.

e tu descuydar e oluido se haría vna razonable
memoria e cuydado. ¿Cómo, desatinado, sabiendo quánto me va, Sempronio, en ser diez o onze,
me respondías a tiento lo que más ayna se te
vino a la boca? ¡O cuytado de mí! Si por caso 5
me houiera dormido e colgara mi pregunta de
la respuesta de Sempronio para hazerme de
onze diez e assí de doze onze, saliera Melibea, yo
no fuera ydo, tornárase: ¡de manera, que ni
mi mal ouiera fin ni mi desseo execución! No 10
se dize en balde que mal ageno de pelo cuelga.

SEMP.—Tanto yerro, señor, me parece, sabiendo preguntar, como ignorando responder.
Mas este mi amo tiene gana de reñir e no sabe
cómo. 15

PÁRM.—Mejor sería, señor, que se gastasse
esta hora que queda en adereçar armas, que en
buscar questiones.

CAL.—*Bien me dize este necio. No quiero en
tal tiempo recebir enojo. No quiero pensar en* 20
*lo que pudiera venir, sino en lo que fué; no en
el daño que resultara de su negligencia, sino en
el prouecho que verná de mi solicitud. Quiero
dar espacio a la yra, que o se me quitará o se
me ablandará.* Descuelga, *Pármeno,* mis cora- 25
ças e armaos vosotros e assí yremos a buen re-

---

11 CORR., 443: *Mal ageno, culpa de pelo.* Que nos hace
poca mella.
14 Falta en *V: Mas este... cómo.* PÁRM.

*caudo, porque como dizen: el hombre apercebi-
do, medio combatido.*

PÁRM.—Hélas aquí, señor.

CAL.—Ayúdame aquí a vestirlas. Mira tú,
5 Sempronio, si parece alguno por la calle.

SEMP.—Señor, ninguna gente parece e, avnque la houiesse, la mucha escuridad priuaría el
viso e conoscimiento a los que nos encontrasen.

CAL.—Pues andemos por esta calle, avnque se
10 rodee alguna cosa, porque más encubiertos vamos. Las doze da ya: buena hora es.

PÁRM.—Cerca estamos.

CAL.—A buen tiempo llegamos. Párate tú,
Pármeno, a uer si es venida aquella señora por
15 entre las puertas.

PÁRM.—¿Yo, señor? Nunca Dios mande que
sea en dañar lo que no concerté; mejor será que
tu presencia sea su primer encuentro, porque
viéndome a mí no se turbe de ver que de tantos
20 es sabido lo que tan ocultamente quería hazer
e con tanto temor faze, o porque quiçá pensará
que la burlaste.

CAL.—¡O qué bien has dicho! La vida me has
dado con tu sotil auiso, pues no era más menes-
25 ter para me lleuar muerto a casa, que boluerse

---

1 En *B: Vé, señor, bien apercebido, serás medio combatido.* Refrán.

8 *El viso*, la vista. BERC., *Mil.*, 14: Omne que hi mo-
rasse, nunqua perdrie el viso.

ella por mi mala prouidencia. Yo me llego allá;
quedaos vosotros en esse lugar.

PÁRM.—¿Qué te paresce, Sempronio, cómo el
necio de nuestro amo pensaua tomarme por broquel, para el encuentro del primer peligro? ¿Qué
sé yo quién está tras las puertas cerradas? ¿Qué
sé yo si ay *alguna* trayción? ¿Qué sé yo si Melibea anda porque le pague nuestro amo su mucho atreuimiento desta manera? E *más*, avn no
somos muy ciertos dezir verdad la vieja. No sepas fablar, Pármeno: ¡sacarte han el alma, sin
saber quién! No seas lisonjero, como tu amo
quiere, e jamás llorarás duelos agenos. No tomes en lo que te cumple el consejo de Celestina
e hallarte as ascuras. Andate ay con tus consejos e amonestaciones fieles: ¡darte han de palos!
No bueluas la hoja e quedarte has a buenas noches. Quiero hazer cuenta que hoy me nascí,
pues de tal peligro me escapé.

SEMP.—Passo, passo, Pármeno. No saltes ni
hagas esse bollicio de plazer, que darás causa
que seas sentido.

PÁRM.—Calla, hermano, que no me hallo de
alegría. ¡Cómo le hize creer que por lo que a él
cumplía dexaua de yr e era por mi seguridad!

---

15 *Ascuras* decíase por *a ascuras, a escuras.*

17 *Quedarse a buenas noches,* díjose del quedarse aban-
donado, despidiéndose todos. *Il. fregona*: No quiso él quedarse a buenas noches (sin oficio). *Mirones*: Quedeme hasta
hoy a buenas noches (ciego).

23 *No hallarse de alegría,* estar muy contento, *no hallarse,* no estarlo en tal lugar. CORR., 632, y es común.

¿Quién supiera assi rodear su prouecho, como yo? Muchas cosas me verás hazer, si estás d' aquí adelante atento, que no las sientan todas personas, assí con Calisto como con quantos en
5 este negocio suyo se entremetieren. Porque soy cierto que esta donzella ha de ser para él ceuo de anzuelo o carne de buytrera, que suelen pagar bien el escote los que a comerla vienen.

SEMP.—Anda, no te penen a tí essas sospe-
10 chas, avnque salgan verdaderas. Apercíbete: a la primera boz que oyeres, tomar calças de Villadiego.

PÁRM.—Leydo has donde yo: en un coraçón estamos. Calças traygo e avn borzeguíes de essos
15 ligeros que tú dizes, para mejor huyr que otro.

---

7 *Lis. Rosel.*, 1, 1: No seamos tus servientes cebo de anzuelo o carne de buitrera. FONS., *Am. Dios*, 3: De manera que te deje hecho una buitrera en este valle a los buitres y a los grajos. Es lugar donde los cazadores tienen armado el cebo con carne al buitre.

11 CORR., 423: *Tomar calzas de Villadiego*. Idem, 424: *Tomó calzas de Villadiego.* (Por huir, acogerse.) No satisfacen los cuentos que se traen para declarar esta frase. Por donde hay que tirar es por donde se explican sus parejas. Así *Villafranca de Montes Doca, alta de camas y baja de ropa* (CORR., 438), indica mucha ostentación y poca *franqueza* o liberalidad. *Villavieja*, en la *Píc. Just.*, 2, 2, 2: Ojos que ven no envejecen, si no son los del águila, que cuanto más pico ven, van más a villavieja (envejecen). *Villaviudas*, en J. PIN., *Agr.*, 28, 8: Tales hazañas hacen y tales honras merecen tales viudas: mas no las que se van a gastar su viudez a Villaviudas. En *Villacerrada* viven las jóvenes muy encerradas y que no quieren cuentos: *En Villacerrada no hay ninguna forzada* (CORR., 122). *Villadiego* alude a *Diego:* si éste es Santiago, que corre con su caballo blanco, u otro Diego corredor, no se sabe. Las calzas mejores para correr

Plázeme que me has, hermano, auisado de lo que
yo no hiziera de vergüença de tí. Que nuestro
amo, si es sentido, no temo que se escapará de
manos desta gente de Pleberio, para podernos
después demandar cómo lo hezimos e incusar- 5
nos el huyr.

SEMP.—¡O Pármeno amigo! ¡Quán alegre e
prouechosa es la conformidad en los compañeros! Avnque por otra cosa no nos fuera buena
Celestina, era harta la vtilidad que por su causa 10
nos ha venido.

PÁRM.—Ninguno podrá negar lo que por sí
se muestra. Manifiesto es que con vergüença el
vno del otro, por no ser odiosamente acusado de
couarde, esperáramos aquí la muerte con nues- 15
tro amo, no siendo más de él merecedor della.

SEMP.—Salido deue auer Melibea. Escucha,
que hablan quedito.

---

son, sin duda, el caballo. Pero *Diego* en España es el ladino
y socarrón, que, afectando sencillez, procede con malicia.
Así *Yo me llamo Diego, ni pago ni niego*, del ladino y socarrón. *Donde digo digo, no digo digo, sino que digo Diego.*
Diego Gil, del muy astuto, *Diego Moreno*, el consentidor, *marido de tomo y lomo, porque tomaba y engordaba* de lo que
ganaba su mujer, en *La Visita de los Chistes*, de Quevedo.
Tomar las calzas de Villadiego y después simplemente *las
de Villadiego* (CORR., 423 y 611) es irse adonde van y viven
los ladinos y que hurtan el cuerpo al peligro, escaparse como
ellos. *Las calzas*, como por el contrario, *verse en calzas ber-
mejas*, en apuro y aprieto: *calzas* propias para correr, como
dice Pármeno luego.

5 *Incusar*, acusar, latinismo.

7 "Quam bonum et quam iucundum, habitare fratres in
unum" (*Salmo*, 132, 1).

PÁRM.—¡O cómo temo que no sea ella, sino alguno que finja su voz!

SEMP.—Dios nos libre de traydores, no nos ayan tomado la calle por do tenemos de huyr; que de otra cosa no tengo temor.

CAL.—Este bullicio más de vna persona lo haze. Quiero hablar, sea quien fuere. ¡Ce, señora mía!

LUCR.—La voz de Calisto es ésta. Quiero llegar. ¿Quién habla? ¿Quién está fuera?

CAL.—Aquel que viene a cumplir tu mandado.

LUCR.—¿Porqué no llegas, señora? Llega sin temor acá, que aquel cauallero está aquí.

MELIB.—¡Loca, habla passo! Mira bien si es él.

LUCR.—Allégate, señora, que sí es, que yo le conozco en la voz.

CAL.—Cierto soy burlado: no era Melibea la que me habló. ¡Bullicio oygo, perdido soy! Pues viua o muera, que no he de yr de aquí.

MELIB.—Vete, Lucrecia, acostar vn poco. ¡Ce, señor! ¿Cómo es tu nombre? ¿Quién es el que te mandó ay venir?

CAL.—Es la que tiene merecimiento de mandar a todo el mundo, la que dignamente seruir yo no merezco. No tema tu merced de se descobrir a este catiuo de tu gentileza: que el dulce sonido de tu habla, que jamás de mis oydos se

cae, me certifica ser tú mi señora Melibea. Yo
soy tu sieruo Calisto.

MELIB.—La sobrada osadía de tus mensajes
me ha forçado a hauerte de hablar, señor Calisto. Que hauiendo hauido de mí la passada res- 5
puesta a tus razones, no sé qué piensas más
sacar de mi amor, de lo que entonces te mostré.
Desuía estos vanos e locos pensamientos de tí,
porque mi honrra e persona estén sin detrimento de mala sospecha seguras. A esto fué aquí 10
mi venida, a dar concierto en tu despedida e mi
reposo. No quieras poner mi fama en la balança
de las lenguas maldezientes.

CAL.—A los coraçones aparejados con apercibimiento rezio contra las aduersidades, ningu- 15
na puede venir que passe de claro en claro la
fuerça de su muro. Pero el triste que, desarmado e sin proueer los engaños e celadas, se
vino a meter por las puertas de tu seguridad,
qualquiera cosa, que en contrario vea, es razón 20
que me atormente e passe rompiendo todos los
almazenes en que la dulze nueua estaua aposen-
tada. ¡O malauenturado Calisto! ¡O quan burlado has sido de tus siruientes! ¡O engañosa
muger Celestina! ¡Dejárasme acabar de morir e 25

14 *A los coraçones aparejados con apercibimiento.* Del PE-
TRARCA, según FARINELLI, aunque no señala cita determinada.
16 *Pasar de claro en claro* la noche se dijo de esta acep-
ción física del texto, como con un clavo, etc., que se vea
la otra parte por el agujero hecho.

no tornaras a viuificar mi esperança, para que
tuuiese más que gastar el fuego que ya me
aquexa! ¿Porqué falsaste la palabra desta mi
señora? ¿Porqué has assí dado con tu lengua
5 causa a mi desesperación? ¿A qué me mandaste
aquí venir, para que me fuese mostrado el disfauor, el entredicho, la desconfiança, el odio, por
la mesma boca desta que tiene las llaues de mi
perdicion e gloria? ¡O enemiga! ¿E tú no me
10 dixiste que esta mi señora me era fauorable?
¿No me dixiste que de su grado mandaua venir
este su catiuo al presente lugar, no para me desterrar nueuamente de su presencia, pero para
alçar el destierro, ya por otro su mandamiento
15 puesto ante de agora? ¿En quién fallaré yo fé?
¿Adónde ay verdad? ¿Quién carece de engaño?
¿Adónde no moran falsarios? ¿Quién es claro
enemigo? ¿Quién es verdadero amigo? ¿Dónde
no se fabrican trayciones? ¿Quién osó darme tan
20 cruda esperança de perdición?

MELIB.—Cesen, señor mio, tus verdaderas
querellas: que ni mi coraçon basta para lo sufrir
ni mis ojos para lo dissimular. Tú lloras de tristeza, juzgándome cruel; yo lloro de plazer, vién-
25 dote tan fiel. ¡O mi señor e mi bien todo! ¡Quánto más alegre me fuera poder ver tu haz, que oyr
tu voz! Pero, pues no se puede al presente más
fazer, toma la firma e sello de las razones que
te embié escritas en la lengua de aquella solícita
30 mensajera. Todo lo que te dixo confirmo, todo lo

he por bueno. Limpia, señor, tus ojos, ordena de
mí a tu voluntad.

CAL.—¡O señora mía, esperança de mi gloria, descanso e aliuio de mi pena, alegría de mi
coraçón! ¿Qué lengua será bastante para te dar
yguales gracias a la sobrada e incomparable
merced que en este punto, de tanta congoxa
para mí, me has quesido hazer en querer que vn
tan flaco e indigno hombre pueda gozar de tu
suauíssimo amor? Del qual, avnque muy desseo-
so, siempre me juzgaua indigno, mirando tu
grandeza, considerando tu estado, remirando tu
perfeción, contemplando tu gentileza, acatando
mi poco merescer e tu alto merescimiento, tus
estremadas gracias, tus loadas e manifiestas virtudes. Pues, ¡o alto Dios!, ¿cómo te podré ser
ingrato, que tan milagrosamente has obrado
comigo tus singulares marauillas? ¡O quántos
días antes de agora passados me fué venido este
pensamiento a mi coraçón, e por impossible le
rechaçaua de mi memoria, hasta que ya los rayos ylustrantes de tu muy claro gesto dieron luz
en mis ojos, encendieron mi coraçón, desperta-
ron mi lengua, estendieron mi merecer, acorta-
ron mi couardía, destorcieron mi encogimiento,
doblaron mis fuerças, desadormescieron mis pies
e manos, finalmente, me dieron tal osadía, que
me han traydo con su mucho poder a este subli-
mado estado en que agora me veo, oyendo de
grado tu suaue voz. La qual, si ante de agora no

conociese e no sintiesse tus saludables olores,
no podría creer que careciessen de engaño tus
palabras. Pero, como soy cierto de tu limpieza
de sangre e fechos, me estoy remirando si soy
⁵ yo Calisto, a quien tanto bien se le haze.

MELIB.—Señor Calisto, tu mucho merecer, tus
estremadas gracias, tu alto nascimiento han
obrado que, después que de tí houe entera noticia, ningún momento de mi coraçón te partiesses.
¹⁰ E avnque muchos días he pugnado por lo dissimular, no he podido tanto que, en tornándome
aquella muger tu dulce nombre a la memoria, no
descubriesse mi desseo e viniesse a este lugar
e tiempo, donde te suplico ordenes e dispongas
¹⁵ de mi persona segund querrás. Las puertas im-
piden nuestro gozo, las quales yo maldigo e sus
fuertes cerrojos e mis flacas fuerças, que ni tú
estarías quexoso ni yo descontenta.

CAL.—¿Cómo, señora mía, e mandas que con-
²⁰ sienta a vn palo impedir nuestro gozo? Nunca yo
pensé que, demás de tu voluntad, lo pudiera cosa
estoruar. ¡O molestas e enojosas puertas! Ruego a Dios que tal huego os abrase, como a mí da
guerra: que con la tercia parte seríades en vn
²⁵ punto quemadas. Pues, por Dios, señora mía,
permite que llame a mis criados para que las
quiebren.

PÁRM.—¿No oyes, no oyes, Sempronio? A

---

23 *Huego* o *fuego* sonaba *juego*, con *j* suave andaluza.

buscarnos quiere venir para que nos den mal año. No me agrada cosa esta venida. ¡En mal punto creo que se empeçaron estos amores! Yo no espero más aquí.

SEMP.—Calla, calla, escucha, que ella no consiente que vamos allá.

MELIB.—¿Quieres, amor mío, perderme a mí e dañar mi fama? No sueltes las riendas a la voluntad. La esperança es cierta, el tiempo breue, quanto tú ordenares. E pues tú sientes tu pena senzilla e yo la de entramos, tu solo dolor, yo el tuyo e el mío, conténtate con venir mañana a esta hora por las paredes de mi huerto. Que si agora quebrasses las crueles puertas, avnque al presente no fuessemos sentidos, amanescería en casa de mi padre terrible sospecha de mi yerro. E pues sabes que tanto mayor es el yerro quanto mayor es el que yerra, en vn punto será por la cibdad publicado.

SEMP.—¡Enoramala acá esta noche venimos! Aquí nos ha de amanescer, según el espacio que nuestro amo lo toma. Que, avnque más la dicha nos ayude, nos han en tanto tiempo de sentir de su casa o vezinos.

PÁRM.—Ya ha dos horas que te requiero que nos vamos, que no faltará vn achaque.

---

1 CORR., 443: *Mal año.* (Dícese negando y a veces a todos propósitos, y buen año se le contrapone y con ironía por lo menos.) Díjose de la cosecha.

CAL.—¡O mi señora e mi bien todo! ¿Porqué
llamas yerro aquello que por los sanctos de Dios
me fué concedido? Rezando oy ante el altar de
la Madalena, me vino con tu mensaje alegre
5 aquella solícita muger.

PÁRM.—¡Desuariar, Calisto, desuariar! Por
fé tengo, hermano, que no es cristiano. Lo que
la vieja traydora con sus pestíferos hechizos ha
rodeado e fecho dize que los sanctos de Dios
10 se lo han concedido e impetrado. E con esta con-
fiança quiere quebrar las puertas. E no haurá
dado el primer golpe, quando sea sentido e tomada por los criados de su padre, que duermen
cerca.

15 SEMP.—Ya no temas, Pármeno, que harto des-
uiados estamos. En sintiendo bullicio, el buen
huyr nos ha de valer. Déxale hazer, que si mal
hiziere, él lo pagará.

PÁRM.—Bien hablas, en mi coraçón estás.
20 Assí se haga. Huygamos la muerte, que somos
moços. *Que no querer morir ni matar no es
couardía, sino buen natural. Estos escuderos de
Pleberio son locos: no desean tanto comer ni
dormir como questiones e ruydos. Pues más lo-
25 cura sería esperar pelea con enemigo, que no
ama tanto la vitoria e vencimiento, como la continua guerra e contienda.* ¡O si me viesses, hermano, como estó, plazer haurías! A medio lado,
abiertas las piernas, el pie ysquierdo adelante
30 puesto en huyda, las faldas en la cinta, la adarga

arrollada e so el sobaco, porque no me empa-
che. ¡Que, por Dios, que creo corriesse como
vn gamo, según el temor tengo d' estar aquí.

SEMP.—Mejor estó yo, que tengo liado el broquel e el espada con las correas, porque no se me 5
caygan al correr, e el caxquete en la capilla.

PÁRM.—¿E las piedras, que trayas en ella?

SEMP.—Todas las vertí por yr más liuiano.
Que harto tengo que lleuar en estas coraças que
me hiziste vestir por importunidad; que bien las 10
rehusaua de traer, porque me parescían para
huyr muy pesadas. ¡Escucha, escucha! ¿Oyes,
Pármeno? ¡A malas andan! ¡Muertos somos!
Bota presto, echa hazia casa de Celestina, no
nos atajen por nuestra casa. 15

PÁRM.—Huye, huye, que corres poco. ¡O pecador de mí!, si nos han de alcançar, dexa broquel e todo.

SEMP.—¿Si han muerto ya a nuestro amo?

PÁRM.—No sé, no me digas nada; corre e 20
calla, que el menor cuydado mío es esse.

SEMP.—¡Ce! ¡ce! ¡Pármeno! Torna, torna

---

1 *Empachar, embarazar.* OVIEDO, *H. Ind.*, 42, 5: Y de
allí salía un humo continuo e no enojoso a la vista, ni la
empachaba ni excusaba de verse toda la parte e circuito de.
6 *Capilla*, pieza a la espalda de la capa.
14 *Botar*, por salir con ímpetu, fué clásico y es vulgar
en toda América y en Castilla. VALDERR., *Teatr. Dif.*, 6:
Cuando dan priesa los alguaciles: bote el carro... pase apriesa, que el tiempo es corto,

callando, que no es sino la gente del aguazil, que
passaua haziendo estruendo por la otra calle.

PÁRM.—Míralo bien. No te fíes en los ojos,
que se antoja muchas veces vno por otro. No
5 me auían dexado gota de sangre. Tragada tenía
ya la muerte, que me parescía que me yuan
dando en estas espaldas golpes. En mi vida me
acuerdo hauer tan gran temor ni verme en tal
afrenta, avnque he andado por casas agenas har-
10 to tiempo e en lugares de harto trabajo. Que
nueue años seruí a los frayles de Guadalupe,
que mill vezes nos apuñeávamos yo e otros. Pero
nunca como esta vez houe miedo de morir.

SEMP.—¿E yo no seruí al cura de Sant Mi-
15 guel e al mesonero de la plaça e a Mollejar, el
ortelano? E también yo tenía mis questiones con
los que tirauan piedras a los páxaros, que assen-
tauan en vn álamo grande que tenía, porque da-
ñauan la ortaliza. Pero guárdete Dios de verte
20 con armas, que aquel es el verdadero temor. No
en balde dizen: cargado de hierro e cargado de
miedo. Buelue, buelue, que el aguazil es, cierto.

MELIB.—Señor Calisto, ¿que es esso que en la
calle suena? Parescen vozes de gente que van
25 en huyda. Por Dios, mírate, que estás a peligro.

CAL.—Señora, no temas, que a buen seguro

---

21 CORR., 322: *Cargado de hierro, cargado de miedo.*
(Por los que se cargan de armas para salir de noche.)

vengo. Los míos deuen de ser, que son unos locos
e desarman a quantos passan e huyríales alguno.

MELIB.—¿Son muchos los que traes?

CAL.—No, sino dos; pero, avnque sean seys
sus contrarios, no recebirán mucha pena para   5
les quitar las armas e hazerlos huyr, según su
esfuerço. Escogidos son, señora, que no vengo a
lumbre de pajas. Si no fuesse por lo que a tu
honrra toca, pedaços harían estas puertas. E si
sentidos fuessemos, a tí e a mí librarían de toda 10
la gente de tu padre.

MELIB.—¡O por Dios, no se cometa tal cosa!
Pero mucho plazer tengo que de tan fiel gente
andas acompañado. Bienempleado es el pan
que tan esforçados siruientes comen. Por mi   15
amor, señor, pues tal gracia la natura les quiso
dar, sean de tí bientratados e galardonados,
porque en todo te guarden secreto. *E quando sus
osadías e atreuimientos les corregieres, a bueltas del castigo mezcla fauor. Porque los ánimos*   20
*esforçados no sean con encogimiento diminutos
e yrritados en el osar a sus tiempos.*

PÁRM.—¡Ce! ¡ce! señor, quítate presto dende,
que viene mucha gente con hachas e serás visto
e conoscido, que no hay donde te metas.   25

CAL.—¡O mezquino yo e como es forçado, señora, partirme de tí! ¡Por cierto, temor de la
muerte no obrara tanto como el de tu honrra!

---

21 *Diminutos,* latinismo.

Pues que assí es, los ángeles queden con tu presencia. Mi venida será, como ordenaste, por el huerto.

MELIB.—Assí sea e vaya Dios contigo.

⁵ PLEB.—Señora muger, ¿duermes?

ALI.—Señor, no.

PLEB.—¿No oyes bullicio en el retraimiento de tu hija?

ALI.—Sí oyo. ¡Melibea! ¡Melibea!

¹⁰ PLEB.—No te oye; yo la llamaré más rezio. ¡Hija mía Melibea!

MELIB.—¡Señor!

PLEB.—¿Quién da patadas e haze bullicio en tu cámara?

¹⁵ MELIB.—Señor, Lucrecia es, que salió por vn jarro de agua para mí, que hauía gran sed.

PLEB.—Duerme, hija, que pensé que era otra cosa.

LUCR.—Poco estruendo los despertó. Con gran ²⁰ pauor hablauan.

MELIB.—No ay tan manso animal que con amor o temor de sus hijos no asperece. Pues ¿qué harían, si mi cierta salida supiessen?

CAL.—Cerrad essa puerta, hijos. E tú, Pár- ²⁵ meno, sube vna vela arriba.

---

22 *Asperecerse*, hacerse áspero y bravo.

SEMP.—Deues, señor, reposar e dormir esto
que queda d' aquí al día.

CAL.—Plázeme, que bien lo he menester. ¿Qué
te parece, Pármeno, de la vieja, que tú me des-
alabauas? ¿Qué obra ha salido de sus manos? 5
¿Qué fuera hecha sin ella?

PÁRM.—Ni yo sentía tu gran pena ni conoscía la gentileza e merescimiento de Melibea, e
assí no tengo culpa. Conoscía a Celestina e sus
mañas. Auisáuate como a señor; pero ya me pa- 10
rece que es otra. Todas las ha mudado.

CAL.—¿E cómo mudado?

PÁRM.—Tanto que, si no lo ouiesse visto, no
lo creería; mas assí viuas tú como es verdad.

CAL.—¿Pues aués oydo lo que con aquella mi 15
señora he passado? ¿Qué hazíades? ¿Teníades
temor?

SEMP.—¿Temor, señor, o qué? Por cierto, todo
el mundo no nos le hiziera tener. ¡Fallado auías
los temerosos! Allí estouimos esperándote muy 20
aparejados e nuestras armas muy a mano.

CAL.—¿Aués dormido algún rato?

SEMP.—¿Dormir, señor? ¡Dormilones son los
moços! Nunca me assenté ni avn junté por Dios

---

19 ¡*Fallado avias los temerosos!*, irónicamente, no era
fácil hallarnos perezosos. *Quij.*, 2, 17: ¡Hallado le habéis
el atrevido! Idem, 2, 30: ¡Hallado os le habéis el enca-
jador! SANTILL.: ¡Hallado habéis la gritadera! VALD.,
Diál. Leng.: ¡Hallado os le habéis la gente que se anda a
hurtar vocablos!

los pies, mirando a todas partes para, en sintiendo porqué, saltar presto e hazer todo lo que
mis fuerças me ayudaran. Pues Pármeno, que
te parecía que no te seruía hasta aquí de buena
5 gana, assí se holgó, quando vido los de las hachas, como lobo quando siente poluo de ganado,
pensando poder quitárselas, hasta que vido que
eran muchos.

CAL.—No te marauilles, que procede de su
10 natural ser osado e, avnque no fuesse por mí,
hazíalo porque no pueden los tales venir contra
su vso, que avnque muda el pelo la raposa, su
natural no despoja. Por cierto yo dixe a mi señora Melibea lo que en vosotros ay e quán se-
15 guras tenía mis espaldas con vuestra ayuda e
guarda. Fijos, en mucho cargo vos soy. Rogad
a Dios por salud, que yo os galardonaré más
complidamente vuestro buen seruicio. Yd con
Dios a reposar.

20 PÁRM.—¿Adonde yremos, Sempronio? ¿A la
cama a dormir o a la cozina a almorzar?

SEMP.—Vé tú donde quisieres; que, antes que
venga el día, quiero yo yr a Celestina a cobrar
mi parte de la cadena. Que es vna puta vieja.
25 No le quiero dar tiempo en que fabrique alguna
ruyndad con que nos escluya.

PÁRM.—Bien dizes. Oluidado lo auía. Vamos

---

12 CORR., 29: *Aunque muda el pelo la raposa, su natural no despoja.*

entramos e, si en esso se pone, espantémosla de manera que le pese. Que sobre dinero no ay amistad.

SEMP.—¡Ce! ¡ce! Calla, que duerme cabo esta ventanilla. Tha, tha, señora Celestina, ábrenos. 5

CEL.—¿Quién llama?

SEMP.—Abre, que son tus hijos.

CEL.—No tengo yo hijos que anden a tal hora.

SEMP.—Ábrenos a Pármeno e Sempronio, que nos venimos acá almorzar contigo. 10

CEL.—¡O locos trauiesos! Entrad, entrad. ¿Cómo venís a tal hora, que ya amanesce? ¿Qué haués hecho? ¿Qué os ha passado? ¿Despidióse la esperança de Calisto o viue todavía con ella o cómo queda? 15

SEMP.—¿Cómo, madre? Si por nosotros no fuera, ya andouiera su alma buscando posada para siempre. Que, si estimarse pudiesse a lo que de allí nos queda obligado, no sería su hazienda bastante a complir la debda, si verdad es 20 lo que dizen, que la vida e persona es más digna e de más valor que otra cosa ninguna.

CEL.—¡Jesú! ¿Que en tanta afrenta os haués visto? Cuéntamelo, por Dios.

SEMP.—Mira qué tanta, que por mi vida la 25

---

2 CORR., 265: *Sobre dinero no hay compañero.*

4 *Cabo o cabe*, preposición. *Cid.*, 56: Cabo essa villa en la glera posaua.

25 *Qué tanta*, cuanta, común entre los clásicos

sangre me hierue en el cuerpo en tornarlo a
pensar.

CEL.—Reposa, por Dios, e dímelo.

PÁRM.—Cosa larga le pides, según venimos
5 alterados e cansados del enojo que hauemos
hauido. Farías mejor aparejarnos a él e a mí
de almorzar: quiçá nos amansaría algo la alteración que traemos. Que cierto te digo que no
quería ya topar hombre que paz quisiesse. Mi
10 gloria sería agora hallar en quién vengar la yra
que no pude en los que nos la causaron, por su
mucho huyr.

CEL.—¡Landre me mate, si no me espanto en
verte tan fiero! Creo que burlas. Dímelo agora,
15 Sempronio, tú, por mi vida: ¿qué os ha passado?

SEMP.—Por Dios, sin seso vengo, desesperado; avnque para contigo por demás es no tem-
plar la yra e todo enojo e mostrar otro sem-
blante que con los hombres. Jamás me mostré
20 poder mucho con los que poco pueden. Traygo,
señora, todas las armas despedaçadas, el broquel
sin aro, la espada como sierra, el caxquete abo-
llado en la capilla. Que no tengo con que salir vn
passo con mi amo, quando menester me aya. Que
25 quedó concertado de yr esta noche que viene a
uerse por el huerto. ¿Pues comprarlo de nueuo?
No mando vn marauedí en que caya muerto.

---

9 *Quería*, así solía escribirse, a veces, por *querría*.
27 *Mandar* es ofrecer en Castilla. *No tener donde caerse
muerto*, no tener nada ni la tierra que se pisa.

CEL.—Pídelo, hijo, a tu amo, pues en su seruicio se gastó e quebró. Pues sabes que es persona que luego lo cumplirá. Que no es de los que dizen: Viue comigo e busca quien te mantenga. El es tan franco, que te dará para esso e para más.

SEMP.—¡Ha! Trae también Pármeno perdidas las suyas. A este cuento, en armas se le yrá su hazienda. ¿Cómo quieres que le sea tan importuno en pedirle más de lo que él de su propio grado haze, pues es arto? No digan por mí que dando vn palmo pido quatro. Diónos las cient monedas, diónos después la cadena. A tres tales aguijones no terná cera en el oydo. Caro le costaría este negocio. Contentémonos con lo razonoble, no lo perdamos todo por querer más de la razón, que quien mucho abarca, poco suele apretar.

CEL.—¡Gracioso es el asno! Por mi vejez que, si sobre comer fuera, que dixera que hauíamos todos cargado demasiado. ¿Estás en tu seso, Sempronio? ¿Qué tiene que hazer tu galardón con mi salario, tu soldada con mis mercedes? ¿Só yo obligada a soldar vuestras armas, a complir vuestras faltas? A osadas, que me maten,

---

4 CORR., 311: *Vive conmigo y busca quien te mantenga*, o *nómbrate mío*.

14 CORR., 555: *No le ha quedado cera en el oído.* Idem, 225: *No le quedó cera en el oído.* (Dice de uno que quedó muy pobre.)

17 CORR., 346: *Quien mucho abarca, poco aprieta.*

si no te has asido a vna palabrilla, que te dixe
el otro día viniendo por la calle, que quanto
yo tenía era tuyo e que, en quanto pudiesse con
mis pocas fuerças, jamás te faltaría, e que, si
⁵ Dios me diesse buena manderecha con tu amo,
que tú no perderías nada. Pues ya sabes, Sempronio, que estos ofrescimientos, estas palabras
de buen amor no obligan. No ha de ser oro
quanto reluze; si no, más barato valdría. ¿Dime,
¹⁰ estoy en tu coraçón, Sempronio? Verás si, avnque soy vieja, si acierto lo que tú puedes pensar. Tengo, hijo, en buena fe, más pesar que se
me quiere salir esta alma de enojo. Dí a esta
loca de Elicia, como vine de tu casa, la cadeni-
¹⁵ lla que traxe para que se holgase con ella e no
se puede acordar dónde la puso. Que en toda
esta noche ella ni yo no auemos dormido sueño
de pesar. No por su valor de la cadena, que no
era mucho; pero por su mal cobro della e de mi
²⁰ mala dicha. Entraron vnos conoscidos e familiares míos en aquella sazón aquí: temo no la
ayan leuado, diziendo: si te ví, burléme, etc. Assí

---

19 *Cobro*, seguridad, resguardo y lugar donde se guarda algo. *Poem. Alf. XI*, 487: Castellanos muy gran co-
bro | ovieron por ssu venida. J. Pin., *Agr.*, 15, 5: Embra-
veado contra sí por el mal cobro que había dado de su mujer.
    22 Corr., 260 y 568: *Si te vi, no me acuerdo.* Idem, 260:
Si te vi, no me miembro de ti. Idem, 260: *Si te vi no te
conozco.* Idem, 261: *Si me viste, burléme; si no me viste,
calléme.* Idem, 261: *Si me viste, alcéosla; si no me viste,
llevéosla.*

que, hijos, agora que quiero hablar con entramos, si algo vuestro amo a mí me dió, deués mirar que es mío; que de tu jubón de brocado no te pedí yo parte ni la quiero. Siruamos todos, que a todos dará, según viere que lo merescen. 5 Que si me ha dado algo, dos vezes he puesto por él mi vida al tablero. Más herramienta se me ha embotado en su seruicio que a vosotros, más materiales he gastado. Pues aués de pensar, hijos, que todo me cuesta dinero e avn mi saber, 10 que no lo he alcançado holgando. De lo qual fuera buen testigo su madre de Pármeno. Dios aya su alma. Esto trabajé yo; a vosotros se os deue essotro. Esto tengo yo por oficio e trabajo; vosotros por recreación e deleyte. Pues assí, no 15 aués vosotros de auer ygual galardón de holgar, que yo de penar. Pero avn con todo lo que he dicho, no os despidays, si mi cadena parece, de sendos pares de calças de grana, que es el ábito que mejor en los mancebos paresce. E si no, 20 recebid la voluntad, que yo me callaré con mi pérdida. E todo esto, de buen amor, porque holgastes que houiesse yo antes el prouecho destos passos que no otra. E si no os contentardes, de vuestro daño farés. 25

SEMP.—No es esta la primera vez que yo he dicho quánto en los viejos reyna este vicio de

---

19 *Calças*, como pantalones de hoy, aunque hasta las rodillas, o sean calzones.

cobdicia. Quando pobre, franca; quando rica, auarienta. Assí que aquiriendo cresce la cobdicia, e la pobreza cobdiciando, e ninguna cosa haze pobre al auariento sino la riqueza. ¡O Dios,
5 e cómo cresce la necessidad con la abundancia! ¡Quién la oyó esta vieja dezir que me lleuasse yo todo el prouecho, si quisiesse, deste negocio, pensando que sería poco! Agora, que lo vee crescido, no quiere dar nada, por complir el re-
10 frán de los niños, que dizen: de lo poco, poco; de lo mucho, nada.

PÁRM.—Déte lo que prometió o tomémosselo todo. Harto te dezía yo quién era esta vieja, si tú me creyeras.

15 CEL.—Si mucho enojo traés con vosotros o con vuestro amo o armas, no lo quebreys en mí. Que bien sé dónde nasce esto, bien sé e barrunto de qué pie coxqueays. No cierto de la necessidad que teneys de lo que pedís, ni avn por la
20 mucha cobdicia que lo teneys, sino pensando que os he de tener toda vuestra vida atados e catiuos con Elicia e Areusa, sin quereros buscar otras, moueysme estas amenazas de dinero, poneysme estos temores de la partición. Pues callá,
25 que quien estas os supo acarrear, os dará otras diez agora, que ay más conoscimiento e más razón e más merecido de vuestra parte. E si

10 *De lo poco...* refrán. Del que en mediana fortuna parece liberal y enriquecido se hace miserable.

sé complir lo que prometo en este caso, dígalo
Pármeno. Dilo, dilo, no ayas empacho de contar cómo nos passó quando a la otra dolía la
madre.

SEMP.—*Yo dígole que se vaya y abáxasse las* 5
bragas: no ando por lo que piensas. No entre-
metas burlas a nuestra demanda, que con esse
galgo no tomarás, si yo puedo, más liebres. Dé-
xate comigo de razones. A perro viejo no cuz
cuz. Danos las dos partes por cuenta de quanto 10
de Calisto has recebido, no quieras que se descubra quién tú eres. A los otros, a los otros, con
essos halagos, vieja.

CEL.—¿Quién só yo, Sempronio? ¿Quitás-
teme de la putería? Calla tu lengua, no amen- 15
gües mis canas, que soy vna vieja qual Dios me
hizo, no peor que todas. Viuo de mi oficio, como
cada qual oficial del suyo, muy limpiamente. A
quien no me quiere no le busco. De mi casa
me vienen a sacar, en mi casa me ruegan. Si 20
bien o mal viuo, Dios es el testigo de mi cora-

---

5 CORR., 288: *Dígole que se vaya, y él descálzase las*
bragas; o *dígole que se vaya, y él quítase las bragas;* o *y él*
quitábase las bragas, o *desátase las bragas.* Idem, 556: *No*
andamos tras eso; no ando yo tras eso. Idem, 351: *Con ese*
galgo no mataréis más liebres. (Que con aquel embuste y
traza no le engañará otra vez ni le podrá valer nada.) Es
repetir lo que el autor dirá ahora mismo.

9 CORR., 18: *A perro viejo, no tus tus,* o *no cuz, cuz,*
o *nunca cuz, cuz.* (Que no se deja engañar, como el nuevo,
con halagos y pan.)

çón. E no pienses con tu yra maltratarme, que
justicia ay para todos: a todos es ygual. Tan
bien seré oyda, avnque muger, como vosotros,
muy peynados. Déxame en mi casa con mi for-
5 tuna. E tú, Pármeno, no pienses que soy tu catiua por saber mis secretos e mi passada vida e
los casos que nos acaescieron a mí e a la desdichada de tu madre. E avn assí me trataua ella,
quando Dios quería.

10   PÁRM.—No me hinches las narizes con essas
memorias; si no, embiart'e con nueuas a ella,
donde mejor te puedas quexar.

CEL.—¡Elicia! ¡Elicia! Leuántate dessa cama, daca mi manto presto, que por los sanctos
15 de Dios para aquella justicia me vaya bramando
como vna loca. ¿Qué es esto? ¿Qué quieren dezir tales amenazas en mi casa? ¿Con una oueja
mansa tenés vosotros manos e braueza? ¿Con
vna gallina atada? ¿Con vna vieja de sesenta
20 años? ¡Allá, allá, con los hombres como vosotros, contra los que ciñen espada, mostrá vuestras yras; no contra mi flaca rueca! *Señal es de*

---

9 *Quando Dios quería.* CORR., 370: *Cuando Dios quería, allende la barba escupía; ahora que no puedo, escúpome
aqui luego.* (Cuando Dios quería se dice acordándose y haciendo mención de mejor tiempo y fortuna.)

10 *Hincharle las narices*, enojarle. LEÓN, *Job.*, 32, 2: Ansí
dicen en aquella lengua, cuando uno se enoja, como en la
nuestra decimos que se hinchan las narices cuando queremos hablar de la ira.

gran couardía acometer a los menores e a los
que poco pueden. Las suzias moxcas nunca pican
sino los bueyes magros e flacos; los guzques la-
dradores a los pobres peregrinos aquexan con
mayor ímpetu. Si aquella, que allí está en aquella 5
cama, me ouiesse a mí creydo, jamás quedaría
esta casa de noche sin varón ni dormiríemos a
lumbre de pajas; pero por aguardarte, por serte
fiel, padescemos esta soledad. E como nos veys
mugeres, hablays e pedís demasías. Lo qual, si 10
hombre sintiessedes en la posada, no haríades.
Que como dizen: el duro aduersario entibia las
yras e sañas.

SEMP.—¡O vieja auarienta, garganta muerta
de sed por dinero! ¿no serás contenta con la 15
tercia parte de lo ganado?

CEL.—¿Qué tercia parte? Vete con Dios de
mi casa tú. E essotro no dé vozes, no allegue la
vezindad. No me hagays salir de seso. No que-
rays que salgan a plaza las cosas de Calisto e 20
vuestras.

SEMP.—Da bozes o gritos, que tú complirás
lo que prometiste o complirán oy tus días.

ELIC.—Mete, por Dios, el espada. Tenle. Pármeno, tenle, no la mate esse desuariado. 25

CEL.—¡Justicia! ¡justicia! ¡señores vezinos!

---

12 CORR., 86: *El duro adversario amansa las furias del*
contrario. Idem,: *El fuerte adversario aplaca las iras del*
más flaco.

¡Justicia! ¡que me matan en mi casa estos rufianes!

SEMP.—¿Rufianes o qué? Esperá, doña hechizera, que yo te haré yr al infierno con
5 cartas.

CEL.—¡Ay, que me ha muerto! ¡Ay, ay! ¡Confessión, confessión!

PÁRM.—Dále, dále, acábala, pues començas-
te. ¡Que nos sentirán! ¡Muera! ¡muera! De los
10 enemigos los menos.

CEL.—¡Confessión!

ELIC.—¡O crueles enemigos! ¡En mal poder
os veays! ¡E para quién touistes manos! ¡Muerta es mi madre e mi bien todo!

15 SEMP.—¡Huye! ¡huye! Pármeno, que carga
mucha gente. ¡Guarte! ¡guarte! que viene el al-
guazil.

PÁRM.—¡O pecador de mí! que no ay por dó
nos vamos, que está tomada la puerta.

20 SEMP.—Saltemos destas ventanas. No mura-
mos en poder de justicia.

PÁRM.—Salta, que tras tí voy.

___

10 Refrán común.

AUCTO TREZENO

ARGUMENTO

DEL TREZENO AUTO

Despertando Calisto de dormir está hablando consigo mismo. Dende vn poco está llamando a Tristán e a otros sus 5 criados. Torna a dormir Calisto. Pónese Tristán a la puerta. Viene Sosia llorando. Preguntado de Tristán, Sosia cuéntale la muerte de Sempronio e Pármeno. Van a dezir las nueuas a Calisto, el qual sabiendo la verdad faze grande lamentación. 10

CALISTO, TRISTÁN, SOSIA

CAL.—¡O cómo he dormido tan a mi plazer, después de aquel açucarado rato, después de aquel angélico razonamiento! Gran reposo he tenido. El sossiego e descanso ¿proceden de mi 15 alegría o causó el trabajo corporal mi mucho dormir o la gloria e plazer del ánimo? E no me marauillo que lo vno e lo otro se juntassen a cerrar los candados de mis ojos, pues trabajé con el cuerpo e persona e holgué con el espíritu 20 e sentido la passada noche. Muy cierto es que la tristeza acarrea pensamiento e el mucho pensar impide el sueño, como a mí estos días es acaescido con la desconfiança, que tenía, de la mayor

gloria, que ya poseo. ¡O señora e amor mío,
Melibea! ¿Qué piensas agora? ¿Si duermes o
estás despierta? ¿Si piensas en mí o en otro?
¿Si estás leuantada o acostada? ¡O dichoso e
5 bienandante Calisto, si verdad es que no ha sido
sueño lo pasado! ¿Soñélo o no? ¿Fué fantaseado
o passó en verdad? Pues no estuue solo; mis
criados me acompañaron. Dos eran. Si ellos dizen que passó en verdad, creerlo he segund de-
10 recho. Quiero mandarlos llamar para más fir-
mar mi gozo. ¡Tristanico! ¡moços! ¡Tristanico!
Leuantate de ay.

TRIST.—Señor, leuantado estoy.

CAL.—Corre, llámame a Sempronio e a Pár-
15 meno.

TRIST.—Ya voy, señor.

CAL.   Duerme e descansa, penado,
           Desde agora:
       Pues te ama tu señora
20   De tu grado.
       Vençe plazer al cuydado
           E no le vea,
       Pues te ha fecho su priuado
           Melibea.

25 TRIST.—Señor, no ay ningún moço en casa.

---

5 *Bienandante,* dichoso, véase HITA, mi edición.
9 *Segund derecho,* han de ser dos los testigos. CORR., 293:
Dos testigos matan a un hombre.
11 *Tristán,* nombre tomado de la leyenda conocida del
ciclo bretón.

CAL.—Pues abre essas ventanas, verás qué hora es.

TRIST.—Señor, bien de día.

CAL.—Pues tórnalas a cerrar e déxame dormir hasta que sea hora de comer. 5

TRIST.—Quiero baxarme a la puerta, porque duerma mi amo sin que ninguno le impida e a quantos le buscaren se le negaré. ¡O qué grita suena en el mercado! ¿Qué es ésto? Alguna justicia se haze o madrugaron a correr toros. 10 No sé qué me diga de tan grandes vozes como se dan. De allá viene Sosia, el moço d'espuelas. El me dirá qué es ésto. Desgreñado viene el vellaco. En alguna tauerna se deue hauer rebolcado. E si mi amo le cae en el rastro, mandarle 15 ha dar dos mil palos. Que, avnque es algo loco, la pena le hará cuerdo. Parece que viene llorando. ¿Qué es esto, Sosia? ¿Porqué lloras? ¿De dó vienes?

SOS.—¡O malauenturado yo e qué pérdida 20 tan grande! ¡O desonrra de la casa de mi amo! ¡O qué mal día amanesció éste! ¡O desdichados mancebos!

TRIST.—*¿Qué es? ¿*Qué has? ¿Porqué te matas? ¿Qué mal es éste? 25

SOS.—Sempronio e Pármeno...

---

12 *Sosia*, nombre de esclavo en los cómicos latinos.
16 CORR., 81: *El loco por la pena es cuerdo*.

TRIST.—¿Qué dizes, Sempronio e Pármeno? ¿Qué es esto, loco? Aclárate más, que me turbas.

SOS.—Nuestros compañeros, nuestros hermanos...

5 TRIST.—O tú estás borracho o has perdido el seso o traes alguna mala nueua. ¿No me dirás qué es esto, que dices, destos moços?

SOS.—Que quedan degollados en la plaça.

TRIST.—¡O mala fortuna la nuestra, si es ver-
10 dad! ¿*Vístelos cierto o hablóronte?*

SOS.—*Ya sin sentido yuan; pero el uno con harta difficultad, como me sintió que con lloro le miraua, hincó los ojos en mí, alçando las manos al cielo, quasi dando gracias a Dios e como*
15 *preguntándome qué sentía de su morir. Y en señal de triste despedida abaxó su cabeça con lágrimas en los ojos, dando bien a entender que no me auía de ver más hasta el día del gran juyzio.*

TRIST.—*No sentiste bien; que sería pregun-*
20 *tarte si estaua presente Calisto. E pues tan claras señas traes deste cruel dolor,* vamos presto con las tristes nueuas a nuestro amo.

SOS.—¡Señor! ¡señor!

CAL.—¿Qué es esso, locos? ¿No os mandé que
25 no me recordásedes?

---

25 *Recordar*, despertar. A. ALV., *Silv. Mand.*, **7** c.: Como con el sueño pasado, cuando recuerda. Idem: Como que hoy recordara del sueño.

Sos.—Recuerda e leuanta, que si tú no buelues por los tuyos, de cayda vamos. Sempronio
e Pármeno quedan descabeçados en la plaça,
como públicos malhechores, con pregones que
manifestauan su delito.   5

CAL.—¡O válasme Dios! ¿E qué es esto que
me dizes? No sé si te crea tan acelerada e triste
nueua. ¿Vístelos tú?

Sos.—Yo los ví.

CAL.—Cata, mira qué dizes, que esta noche 10
han estado comigo.

Sos.—Pues madrugaron a morir.

CAL.—¡O mis leales criados! ¡O mis grandes
seruidores! ¡O mis fieles secretarios e conse-
jeros! ¿Puede ser tal cosa verdad? ¡O amen- 15
guado Calisto! Desonrrado quedas para toda
tu vida. ¿Qué será de tí, muertos tal par de
criados? Díme, por Dios, Sosia, ¿qué fué la
causa? ¿Qué dezía el pregon? ¿Dónde los to-
maron? ¿Qué justicia lo hizo?   20

Sos.—Señor, la causa de su muerte publicaua el cruel verdugo a vozes, diziendo: Manda la justicia que mueran los violentos matadores.

CAL.—¿A quién mataron tan presto? ¿Qué 25
puede ser esto? No ha quatro horas que de mí
se despidieron. ¿Cómo se llamaua el muerto?

Sos.—*Señor*, vna muger, que se llamaua Celestina.

CAL.—¿Qué me dizes?   30

Sos.—Esto que oyes.

Cal.—Pues si esso es verdad, mátame tú a mí, yo te perdono: que más mal ay, que viste ni puedes pensar, si Celestina, la de la cuchi-
5 llada, es la muerta.

Sos.—Ella mesma es. De más de treynta estocadas la ví llagada, tendida en su casa, llorándola vna su criada.

Cal.—¡O tristes moços! ¿Cómo yuan? ¿Vié-
10 ronte? ¿Habláronte?

Sos.—¡O señor! que, si los vieras, quebraras el coraçon de dolor. El vno lleuaua todos los sesos de la cabeça de fuera, sin ningún sentido; el otro quebrados entramos braços e la cara
15 magullada. Todos llenos de sangre. Que saltaron de vnas ventanas muy altas por huyr del aguazil. E assí casi muertos les cortaron las cabeças, que creo que ya no sintieron nada.

Cal.—Pues yo bien siento mi honrra. Plu-
20 guiera a Dios que fuera yo ellos e perdiera la vida e no la honrra, e no la esperança de conseguir mi començado propósito, que es lo que más en este caso desastrado siento. ¡O mi triste nombre e fama, cómo andas al tablero de

---

4 *La de la cuchillada* o chirlo en la cara.
18 No concuerda con esto del autor del no sentir nada lo que puso el corrector antes de haberle mirado, *y que abaxó la cabeça con lagrimas en los ojos*, etc.
24 *Andar al tablero*, en peligro, metáfora del juego, como *poner al tablero*, aventurar.

boca en boca! ¡O mis secretos más secretos,
quán públicos andarés por las plaças e merca-
dos! ¿Qué será de mí? ¿Adonde yré? ¿Que
salga allá?: a los muertos no puedo ya remediar. ¿Que me esté aquí?: parescerá couardía. 5
¿Qué consejo tomaré? Dime, Sosia, ¿qué era la
causa por que la mataron?

Sos.—Señor, aquella su criada, dando vozes,
llorando su muerte, la publicaua a quantos la
querían oyr, diziendo que porque no quiso par- 10
tir con ellos vna cadena de oro que tú le diste.

CAL.—¡O día de congoxa! ¡O fuerte tribulación! ¡E en qué anda mi hazienda de mano en
mano e mi nombre de lengua en lengua! Todo
será público quanto con ella e con ellos hablaua, 15
quanto de mí sabían, el negocio en que andauan.
No osaré salir ante gentes. ¡O pecadores de
mancebos, padecer por tan súpito desastre! ¡O
mi gozo, cómo te vas diminuiendo! Prouerbio
es antigo, que de muy alto grandes caydas se 20

18 *Súpito* es vulgar. *Entrem. s. XVII*, 128: ¿Qué es la
causa de tan súpita mudanza?
20 *Proverbio. A gran subida, gran caída,* o *Cuanto mayor
es la subida, mayor es la descendida.* En Petrarca, *De Remed.*,
traduc. de Francisco Madrid, 1, 17: "Agora te diré que de
lo alto son las grandes caydas y en el alto mar pocas vezes
se halla reposo. De lo baxo no temas la cayda ni en seco
ahogarte... Por ventura no vees que las cosas humanas se
rebuelven como un remolino e que al sosegado mar se sigue
turbia tempestad."

dan. Mucho hauía anoche alcançado; mucho
tengo oy perdido. Rara es la bonança en el pié-
lago. Yo estaua en título de alegre, si mi ventura quisiera tener quedos los ondosos vientos
5 de mi perdición. ¡O fortuna, quánto e por quántas partes me has combatido! Pues, por más
que sigas mi morada e seas contraria a mi persona, las aduersidades con ygual ánimo se han
de sofrir e en ellas se prueua el coraçon rezio o
10 flaco. No ay mejor toque para conoscer qué qui-
lates de virtud o esfuerço tiene el hombre. Pues
por más mal e daño que me venga, no dexaré
de complir el mandado de aquella por quien
todo esto se ha causado. Que más me va en con-
15 seguir la ganancia de la gloria que espero, que
en la pérdida de morir los que murieron. Ellos
eran sobrados e esforzados: agora o en otro
tiempo de pagar hauían. La vieja era mala e
falsa, según parece que hazía trato con ellos, e
20 assí que riñieron sobre la capa del justo. Per-
missión fué diuina que assí acabasse en pago de
muchos adulterios que por su intercessión o

---

5 *O fortuna quanto e.* Del Petrarca, como cree FARI-
NELLI, acaso de aquel lugar *De Remed.*, trad. Francisco Madrid, 1, 17: "Cierto no impropriamente los marineros llaman a la tempestad fortuna, que la gran fortuna gran
tempestad es."

17 *Sobrado,* arrojado de valiente, de *sobrar, vencer* (HITA,
mi edic.).

20 CORR., 265: *Sobre la capa del justo.* (Cuando hay
contienda sobre lo ajeno.)

causa son cometidos. Quiero hazer adereçar a
Sosia e a Tristanico. Yrán comigo este tan es-
perado camino. Lleuarán escalas, que son muy
altas las paredes. Mañana haré que vengo de
fuera, si pudiere vengar estas muertes; si no,   5
pagaré mi inocencia con mi fingida absencia *o*
me fingiré loco, por mejor gozar deste sabroso
deleyte de mis amores, como hizo aquel gran
capitán Ulixes por euitar la batalla troyana e
holgar con Penélope su muger.   10

---

7 Lo del corrector es una salida de pie de banco.

AUCTO QUATORZENO

ARGUMENTO

DEL QUATORZENO AUTO

Está Melibea muy afligida hablando con Lucrecia sobre la
5 tardança de Calisto, el qual le auía hecho voto de venir en
aquella noche a visitalla, lo qual cumplió, e con él vinieron
Sosia e Tristán. E después que cumplió su voluntad, boluie-
ron todos a la posada e Calisto se retrae en su palacio e qué-
xase por auer estado tan poca quantidad de tiempo con Meli-
10 bea, e ruega a Febo que cierre sus rayos, para hauer de restaurar su desseo.

MELIBEA, LUCRECIA, SOSIA, TRISTÁN, CALISTO

MELIB.—Mucho se tarda aquel cauallero que
esperamos. ¿Qué crees tú o sospechas de su es-
15 tada, Lucrecia?

---

4 En *B*: "Esperando Melibea la venida de Calisto en la
huerta, habla con Lucrecia. Viene Calisto con dos criados
suyos Tristán y Sosia; ponenle el escalera, sube por ella
y métese en la huerta onde halla a Melibea. Apartase Lucrecia; quedan los dos solos. Acabado su negocio, quiere salir Calisto, el qual por la escuridad de la noche erró la escala: cae e muere. Melibea por las vozes e lamientos de sus
criados sabe la desastrada muerte de su amado: amortesce;
Lucrecia la consuela." Verdaderamente que, muertos Celestina y los dos mozos, instrumentos de los amores, ellos deben
llegar presto a su fin, y comenzada con estas tres muertes la

Lucr.—Señora, que tiene justo impedimiento e que no es en su mano venir más presto.

Melib.—Los ángeles sean en su guarda, su persona esté sin peligro, que su tardanza no me es pena. Mas, cuytada, pienso muchas cosas' que desde su casa acá le podrían acaecer. *¿Quién sabe si él, con voluntad de venir al prometido plazo en la forma que los tales mancebos a las tales horas suelen andar, fué topado de los alguaziles noturnos e sin le conocer le han acometido, el qual por se defender los offendió o es dellos offendido? ¿O si por caso los ladradores perros con sus crueles dientes, que ninguna differencia saben hazer ni acatamiento de personas, le ayan mordido? ¿O si ha caydo en alguna calçada o hoyo, donde algún daño le viniesse? ¡Mas, o mezquina de mí! ¿Qué son estos inconuenientes, que el concebido amor me pone delante e los atribulados ymaginamientos me acarrean? No plega a Dios que ninguna destas cosas sea, antes esté quanto le plazerá sin verme.* Mas escucha, que passos suenan en la

---

tragedia, debe acabarse presto sin interrumpirse lo trágico. Pero al corrector le pareció mejor lo contrario, tan sólo por el intento de alargar la obra, y la alarga por más de un mes, sin que se apriete más el nudo, antes aflojándolo con un episodio extraño y desvirtuando todo el afecto trágico, que iba creciendo. Los dramaturgos y novelistas dirán si esto es ingenio o necedad de marca.

7 Todo esto es un tópico de maestro de retórica.
22 *Escucha,* en *V: oye, oye.*

calle e avn parece que hablan destotra parte
del huerto.

Sos.—Arrima essa escalera, Tristán, que este
es el mejor lugar, avnque alto.

5 Trist.—Sube, señor. Yo yré contigo, porque
no sabemos quién está dentro. Hablando están.

Cal.—Quedaos, locos, que yo entraré solo, que
a mi señora oygo.

Melib.—Es tu sierua, es tu catiua, es la que
10 más tu vida que la suya estima. ¡O mi señor!
no saltes de tan alto, que me moriré en verlo;
baxa, baxa poco a poco por el escala; no ven-
gas con tanta pressura.

Cal.—¡O angélica ymagen! ¡O preciosa per-
15 la, ante quien el mundo es feo! ¡O mi señora
e mi gloria! En mis braços te tengo e no lo
creo. Mora en mi persona tanta turbación de
plazer, que me haze no sentir todo el gozo que
poseo.

20 Melib.—Señor mío, pues me fié en tus manos, pues quise complir tu voluntad, no sea de
peor condición, por ser piadosa, que si fuera es-
quiua e sin misericordia; no quieras perderme
por tan breue deleyte e en tan poco espacio. Que
25 las malfechas cosas, después de cometidas, más

---

4 *Aunque alto.* Es preparación para que no extrañe luego
el lector la caída y que se le pasó por alto al corrector.
13 *Pressura,* como *priesa,* del mismo *prensus, -a, -ura.*

presto se pueden reprehender que emendar.
Goza de lo que yo gozo, que es ver e llegar a tu
persona; no pidas ni tomes aquello que, tomado, no será en tu mano boluer. Guarte, señor,
de dañar lo que con todos tesoros del mundo no   5
se restaura.

CAL.—Señora, pues por conseguir esta merced toda mi vida he gastado, ¿qué sería, quando
me la diessen, desechalla? Ni tú, señora, me lo
mandarás ni yo podría acabarlo comigo. No me   10
pidas tal couardía. No es fazer tal cosa de ninguno, que hombre sea, mayormente amando
como yo. Nadando por este fuego de tu desseo
toda mi vida, ¿no quieres que me arrime al
dulce puerto a descansar de mis passados tra-   15
bajos?

MELIB.—Por mi vida, que avnque hable tu
lengua quanto quisiere, no obren las manos
quanto pueden. Está quedo, señor mío. *Bástete,
pues ya soy tuya, gozar de lo esterior, desto*   20
que es propio fruto de amadores; no me quie-
ras robar el mayor don que la natura me ha
dado. Cata que del buen pastor es propio tres-
quillar sus ouejas e ganado; pero no destruyrlo
y estragarlo.   25

CAL.—¿Para qué, señora? ¿Para que no esté
queda mi passión? ¿Para penar de nueuo?

---

26 Esto se enhebra, no con lo del corrector, sino con lo
del autor:¡*Esta quedo... ¿Para que no esté queda mi passion?*

¿Para tornar el juego de comienço? Perdona,
señora, a mis desuergonçadas manos, que jamás
pensaron de tocar tu ropa con su indignidad
e poco merecer; agora, gozan de llegar a tu gen-
5 til cuerpo e lindas e delicadas carnes.

MELIB.—Apártate allá, Lucrecia.

CAL.—¿Por qué, mi señora? Bien me huelgo
que estén semejantes testigos de mi gloria.

MELIB.—Yo nos los quiero de mi yerro. Si
10 pensara que tan desmesuradamente te auías de
hauer comigo, no fiara mi persona de tu cruel
conuersación.

SOS.—Tristán, bien oyes lo que passa. ¡En
qué términos anda el negocio!

15 TRIST.—Oygo tanto, que juzgo a mi amo por
el más bienauenturado hombre que nasció. E
por mi vida que, avnque soy mochacho, que diesse tan buena cuenta como mi amo.

SOS.—Para con tal joya quienquiera se ter-
20 nía manos; pero con su pan se la coma, que
bien caro le cuesta: dos moços entraron en la
salsa destos amores.

TRIST.—Ya los tiene oluidados. ¡Dexaos morir siruiendo a ruynes, hazed locuras en con-
25 fiança de su defensión! Viuiendo con el Con-

20　*Con su pan se la coma*. Allá ellos. CORR., 352.
25　CORR., 124: *En hoto del conde no mates al hombre, que
morirá el conde y pagarás el hombre*, o *y pedirte han el
hombre*.

de, que no matase al hombre, me daua mi madre por consejo. Veslos a ellos alegres e abraça-
dos e sus seruidores con harta mengua degollados.

MELIB.—¡O mi vida e mi señor! ¿Cómo has 5
quisido que pierda el nombre e corona de vir-
gen por tan breue deleyyte? ¡O pecadora de mi
madre, si de tal cosa fuesses sabidora, cómo
tomarías de grado tu muerte e me la darías a
mí por fuerça! ¡Cómo serías cruel verdugo de 10
tu propia sangre! ¡Cómo sería yo fin quexosa
de tus días! ¡O mi padre honrrado, cómo he
dañado tu fama e dado causa e lugar a quebrantar tu casa! ¡O traydora de mí, cómo no miré
primero el gran yerro que seguía de tu entrada, 15
el gran peligro que esperaua!

SOS.—¡Ante quisiera yo oyrte esos miraglos!
Todas sabés essa oración después que no puede dexar de ser hecho. ¡E el bouo de Calisto,
que se lo escucha! 20

CAL.—Ya quiere amanecer. ¿Qué es esto? No
me paresce que ha vna hora que estamos aquí,
e da el relox las tres.

---

17 *Miraglos*, de *miraclu(m)*, luego, por metátesis, milagro.
21 *Quiere amanecer*, va a, está para. *Cid*, 235: Apriessa
cantan los gallos e quieren quebrar albores. HERR., *Agr.*,
3, 27: Cuando la higuera quiere comenzar a brotar.

MELIB.—Señor, por Dios, pues ya todo queda por tí, pues ya soy tu dueña, pues ya no puedes negar mi amor, no me niegues tu vista de día, passando por mi puerta; de noche donde
5 tú ordenares. *Sea tu venida por este secreto lugar a la mesma ora, porque siempre te espere apercebida del gozo con que quedo, esperando las venideras noches.* E por el presente te ve con Dios, que no serás visto, que haze *muy* escu-
10 ro, ni yo en casa sentida, que avn no amanesce.

CAL.—Moços, poné el escala.
SOS.—Señor, vesla aquí. Baxa.

MELIB.—Lucrecia, vente acá, que estoy sola. Aquel señor mío es ydo. Comigo dexa su cora-
15 çon, consigo lleua el mío. ¿Asnos oydo?
LUCR.—No, señora, dormiendo he estado.

---

4 *De día... donde tu*, en *V*: *y las mas noches que.* Por el modesto y vergonzoso *ordenares* pone el corrector la desenvoltura con que después pintará ya a Melibea, la cual no conoció en ella el autor.

16 Aquí venía en la *Comedia*, tras la gran dicha de los amantes, la repentina mudanza de la fortuna y el trágico fin de entrambos (auto 19): *¡Escucha, escucha! ¡gran mal es este!* Este gran efecto trágico, nudo de toda la obra, en que el autor puso todo su empeño, y que hace la unidad de toda ella y su grandiosidad dramática, lo destruye el corrector rompiéndolo de un hachazo, con ingerir todos esos autos, descosidos de la acción verdadera, que no sólo no contribuyen a ella, sino que la degüellan lastimosamente. El autor, que con tan sutil agudeza prepara toda la acción y con tan soberano ingenio iba a levantarla aquí a lo más trágico, haciendo se despeñase de un golpe la felicidad de los amantes, no es

Sos.—*Tristán, deuemos yr muy callando, porque suelen leuantarse a esta hora los ricos, los
cobdiciosos de temporales bienes, los deuotos de
templos, monesterios e yglesias, los enamorados como nuestro amo, los trabajadores de los* 5
*campos e labranças, e los pastores que en este
tiempo traen las ouejas a estos apriscos a or-
deñar, e podría ser que cogiessen de pasada alguna razón, por do toda su honrra e la de Melibea se turbasse.* 10

Trist.—*¡O simple rascacauallos! ¡Dizes que
callemos e nombras su nombre della! Bueno eres
para adalid o para regir gente en tierra de moros de noche. Assí que, prohibiendo, permites;
encubriendo, descubres; assegurando, offendes;* 15
*callando, bozeas e pregonas; preguntando, res-
pondes. Pues tan sotil e discreto eres, ¿no me
dirás en qué mes cae Santa María de Agosto,*

---

posible perdiera de tal manera los estribos que se olvidara
de todo y se olvidara tan neciamente de sí. ¿Fué Rojas el
que escribió hasta aquí? Pues si Rojas añadió lo que sigue,
perdió con ello la gloria que hasta este punto había alcanzado. Lo que sigue es tan indigno de un dramaturgo como
el hacer desaparecer el momento trágico que tan admirable-
mente venía preparado. Y no se diga que es episódico, porque, demás de ser éste demasiado largo, los episodios, aunque distraen, no dañan a la acción principal, y así son admi-
mitidos en la épica, bien que no en la dramática. Lo aquí
añadido no es episodio, pues parte por el eje la acción principal, destruye el nudo y el efecto trágico del punto central
de la obra.

1 Advierta el discreto lector cuán otro es el que aquí
comienza a escribir. ¡Qué flema de mozos, qué predicacio-
nes trasnochadas!

*porque sepamos si ay harta paja en casa que
comas ogaño?*

CAL.—*Mis cuydados e los de vosotros no son
todos vnos. Entrad callando, no nos sientan en*
5 *casa. Cerrad essa puerta e vamos a reposar, que
yo me quiero sobir solo a mi cámara. Yo me
desarmaré. Id vosotros a vuestras camas.*

*¡O mezquino yo! quanto me es agradable
de mi natural la solicitud e silencio e escu-*
10 *ridad. No sé si lo causa que me vino a la memoria la traycíón que fize en me despartir de
aquella señora que tanto amo, hasta que más
fuera de día, o el dolor de mi deshonrra. ¡Ay,
ay! que esto es. Esta herida es la que siento*
15 *agora que se ha resfriado. Agora que está elada
la sangre, que ayer heruía; agora que veo la*

---

13 En lugar de gozarse con lo alcanzado, el Calisto del
corrector se divierte en llorar la deshonra causada con la
muerte de sus criados. Y luego se embarca en consideracio-
nes sobre la brevedad de la vida. No es este el Calisto del
autor. Más parece primero caballero vengativo y luego fraile
franciscano. Melibea se le fué de la cabeza, como si jamás
la hubiera conocido.

16 *Veo la mengua de mi casa*, la perdición de mi patrimonio. Véase a Lucrecio (l. 4, v. 1113):

"Adde quod absumunt vires pereuntque labore.
Adde quod alterius sub nutu degitur aetas
Labietur interea res, et vadimonia fiunt;
Languent officia atque aegratat fama vacillans.
....
Nequidquam; quoniam medio de fonte leporum
Surgit amari aliquid, quod in ipsis floribus angat;
*Aut cum conscius ipse animus se forte remordet,
Desidiose agere aetatem, lustrisque perire.*"

mengua de mi casa, la falta de mi seruicio, la
perdición de mi patrimonio, la infamia que tie-
ne mi persona de la muerte que de mis criados
se ha seguido. ¿Qué hize? ¿En qué me detuue?
¿Cómo me puedo soffrir, que no me mostré lue- 5
go presente, como hombre injuriado, vengador,
soberuio e acelerado de la manifiesta injusticia
que me fué hecha? ¡O mísera suauidad desta
breuíssima vida! ¿Quién es de tí tan cobdicioso
que no quiera más morir luego que gozar vn 10
año de vida denostado e prorogarle con des-
honrra, corrompiendo la buena fama de los pas-
sados? Mayormente que no ay hora cierta ni
limitada ni avn vn solo momento. Deudores so-
mos sin tiempo, contino estamos obligados a pa- 15
gar luego. ¿Porqué no salí a inquirir siquiera
la verdad de la secreta causa de mi manifiesta
perdición? ¡O breue deleyte mundano! ¡Cómo
duran poco e cuestan mucho tus dulçores! No
se sompra tan caro el arrepentir. ¡O triste yo! 20
¿Quándo se restaurará tan grande pérdida?
¿Qué haré? ¿Qué consejo tomaré? ¿A quién
descobriré mi mengua? ¿Porqué lo celo a los
otros mis seruidores e parientes? Tresquílanme
en concejo e no lo saben en mi casa. Salir quie- 25
ro; pero, si salgo para dezir que he estado pre-
sente, es tarde; si absente, es temprano. E para

---

24 CORR., 429: *Tresquílanme en concejo, y no lo saben en*
mi casa. Consejo dice el texto.

proueer amigos e criados antiguos, parientes e
allegados, es menester tiempo e para buscar ar-
mas e otros aparejos de vengança. ¡O cruel
juez! ¡e qué mal pago me has dado del pan que
5 *de mi padre comiste! Yo pensaua que pudiera*
con tu fauor matar mill hombres sin temor de
castigo, iniquo falsario, perseguidor de verdad,
hombre de baxo suelo. Bien dirán de tí que te
hizo alcalde mengua de hombres buenos. Mira-
10 *ras que tú e los que mataste, en seruir a mis*
passados e a mí, érades compañeros; mas, quan-
do el vil está rico, no tiene pariente ni amigo.
¿Quién pensara que tú me auías de destruyr?
No ay, cierto, cosa más empecible, qu' el inco-
15 *gitado enemigo. ¿Porqué quesiste que dixessen:*
del monte sale con que se arde e que crié cueruo

---

3   Ahora la emprende con el juez, que parece comió el
pan de su padre, esto es, que le sirvió. Esta invectiva feroz
contra los jueces va contra la manera de proceder del autor
de la primitiva *Celestina*, el cual nunca se entremete a sáti-
ras que no tengan que ver con el intento de la *Comedia*, ni
mucho menos las lleva tan por la tremenda y sin rodeos ni
velos artísticos, como lo hace el corrector. No es este el estilo
y manera del autor primitivo, y en este trozo aparece con
toda claridad otra mano y otra cabeza.

9   Corr., 10: *A falta de hombres buenos, hicieron a mi
padre alcalde, o sois alcalde, padre.*

12   Corr., 366: *Cuando el vil enriquece, no conoce hermano ni pariente.*

16   *Del monte sale quien el monte quema*, dice el refrán;
el del texto no está en Correas.

16   Corr., 376: *Cría el cuervo y sacarte ha el ojo.* (Solía
decirse el corvo, para guardar consonancia: "cría el corvo y
sacarte ha el ojo".)

que me sacasse el ojo? Tú eres público delin-
quente e mataste a los que son priuados. E pues
sabe que menor delito es el priuado que el público, menor su vtilidad, según las leyes de Atenas disponen. Las quales no son escritas con 5
sangre; antes muestran que es menor yerro no
condenar los malhechores que punir los inno-
centes. ¡O quán peligroso es seguir justa causa
delante injusto juez! Quanto más este excesso
de mis criados, que no carescía de culpa. Pues 10
mira, si mal has hecho, que ay sindicado en el
cielo y en la tierra: assí que a Dios e al rey serás reo e a mí capital enemigo. ¿Qué peccó el
vno por lo que hizo el otro, que por sólo ser su
compañero los mataste a entrambos? ¿Pero qué 15
digo? ¿Con quién hablo? ¿Estoy en mi seso?
¿Qué es esto, Calisto? ¿Soñauas, duermes o ve-
las? ¿Estás en pie o acostado? Cata que estás
en tu cámara. ¿No vees que el offendedor no
está presente? ¿Con quién lo has? Torna en ti. 20
Mira que nunca los absentes se hallaron justos.
Oye entrambas partes para sentenciar. ¿No vees
que por executar la justicia no auía de mirar
amistad ni deudo ni criança? ¿No miras que la
ley tiene de ser ygual a todos? Mira que Rómu- 25

4 De Atenas, y de todas partes.
16 ¿Estoy en mi seso? Realmente no lo estaba en el
suyo el autor, si tal escribió. Pero todavía no ha acabado
este desventurado de Calisto de parlar de todo menos de
lo que debiera tener en el corazón. Rómulo y Torcuato le
aguardan.

lo, el primer cimentador de Roma, mató a su
propio hermano, porque la ordenada ley tras-
passó. Mira a Torcato romano, cómo mató a su
hijo porque excedió la tribunicia constitución.
5 Otros muchos hizieron lo mesmo. Considera que,
si aquí presente él estouiese, respondería que
hazientes e consintientes merecen ygual pena;
avnque a entrambos matasse por lo que el vno
pecó. E que, si aceleró en su muerte, que era
10 crimen notorio e no eran necessarias muchas
prueuas e que fueron tomados en el acto del
matar: que ya estaua el vno muerto de la cayda
que dió. E también se deue creer que aquella
lloradera moça, que Celestina tenía en su casa,
15 le dió rezia priessa con su triste llanto, e él, por
no hazer bullicio, por no me disfamar, por no esperar a que la gente se leuantasse e oyessen el
pregon, del qual gran infamia se me siguía, los
mandó justiciar tan de mañana, pues era for-
20 çoso el verdugo y bozeador para la execución e
su descargo. Lo qual todo, assí como creo es
hecho, antes le quedo deudor e obligado para
quanto biua, no como a criado de mi padre, pero
como a verdadero hermano. E puesto caso que
25 assí no fuesse, puesto caso que no echasse lo

---

3 *Torcato. Del Laberinto* (c. 216): "Estaba Torquato de
digna memoria, | siendo del hijo cruel matador, | maguera
lo vido venir vencedor, | porque pasara la ley ya notoria."
(Véase LIVIO, 1. 8.)

passado a la mejor parte, acuérdate, Calisto,
del gran gozo passado. Acuérdate de tu señora
e tu bien todo. E pues tu vida no tienes en nada
por su seruicio, no has de tener las muertes de
otros, pues ningún dolor ygualará con el resce- 5
bido plazer.

¡O mi señora e mi vida! Que jamás pensé en
absencia offenderte. Que paresce que tengo en
poca estima la merced que me has hecho. No
quiero pensar en enojo, no quiero tener ya con 10
la tristeza amistad. ¡O bien sin comparación!
¡O insaciable contentamiento! ¿E quándo pidie-
ra yo más a Dios por premio de mis méritos, si
algunos son en esta vida, de lo que alcançado
tengo? ¿Porqué no estoy contento? Pues no es 15
razón ser ingrato a quien tanto bien me ha dado.
¡Quiérolo conocer, no quiero con enojo perder
mi seso, porque perdido no cayga de tan alta
possessión! No quiero otra honrra ni otra glo-
ria, no otras riquezas, no otro padre ni madre, 20
no otros deudos ni parientes. De día estaré en
mi cámara, de noche en aquel parayso dulce, en
aquel alegre vergel, entre aquellas suaues plan-
tas e fresca verdura. ¡O noche de mi descanso,

---

1 *Acuérdate,* ¡oh corrector!, de que ya es hora de que
piense en su señora y no en Torcuatos ni Rómulos, que jamás
el autor fué tan desmemoriado ni tan posma. Además, el
autor, en vez de Juan de Mena, hubiera leído y traído cosas
del Petrarca, *De Remed.*, 2, 46, donde trata en estas cosas.

*si fuesses ya tornada! ¡O luziente Febo, date
priessa a tu acostumbrado camino! ¡O deleyto-
sas estrellas, apareceos ante de la continua orden! ¡O espacioso relox, avn te vea yo arder en
biuo fuego de amor! Que si tú esperasses lo que
yo, quando des doze, jamás estarías arrendado
a la voluntad del maestro que te compuso. Pues
¡vosotros, inuernales meses, que agora estays
escondidos!: ¡viniéssedes con vuestras muy com-
plidas noches a trocarlas por estos prolixos
días! Ya me paresce hauer vn año que no he
visto aquel suaue descanso, aquel deleytoso re-
frigerio de mis trabajos. ¿Pero qué es lo que
demando? ¿Qué pido, loco, sin sufrimiento? Lo
que jamás fué ni puede ser. No aprenden los
cursos naturales a rodearse sin orden, que a todos es vn ygual curso, a todos vn mesmo espacio para muerte y vida, un limitado término a
los secretos mouimientos del alto firmamento
celestial de los planetas, y norte de los cresci-
mientos e mengua de la menstrua luna. Todo
se rige con vn freno ygual, todo se mueue con
igual espuela: cielo, tierra, mar, fuego, viento,
calor, frío. ¿Qué me aprouecha a mí que dé doze
horas el relox de hierro, si no las ha dado el del*

---

13 Ahora el leguleyo se mete a astrólogo, porque ya ha
cumplido con la obligación de pensar en Melibea. Y se acuerda de Mena (*Laber.*, 7 y 8).

cielo? Pues, por mucho que madrugue, no ama-
nesce más ayna.

Pero tú, dulce ymaginación, tú que puedes,
me acorre. Trae a mi fantasía la presencia an-
gélica de aquella ymagen luziente; buelue a mis 5
oydos el suaue son de sus palabras, aquellos des-
uíos sin gana, aquel apártate allá, señor, no lle-
gues a mí; aquel no seas descortés, que con sus
rubicundos labrios vía sonar; aquel no quieras
mi perdición, que de rato en rato proponía; 10
aquellos amorosos abraços entre palabra e pa-
labra, aquel soltarme e prenderme, aquel huyr
e llegarse, aquellos açucarados besos, aquella
final salutación con que se me despidió. ¡Con
quánta pena salió por su boca! ¡Con quántos 15
desperezos! ¡Con quántas lágrimas, que pares-
cían granos de aljófar, que sin sentir se le cayan
de aquellos claros e resplandecientes ojos!

Sos.—*Tristán, ¿qué te paresce de Calisto, qué*
dormir ha hecho? Que son ya las quatro de la 20
tarde e no nos ha llamado ni ha comido.

Trist.—*Calla, que el dormir no quiere pries-*
sa. Demás desto, aquéxale por vna parte la tris-
teza de aquellos moços, por otra le alegra el muy
gran plazer de lo que con su Melibea ha alcan- 25

1 Corr., 400: *Por mucho madrugar, no amanece más aína.*
El corrector lo toma bien de vagar, efectivamente.

9 *Labrio,* de *labro,* contaminado con labio. *Selvag.,* 7: O
los que tocaron sus labrios en el río Lecteo.

*çado. Assí, que dos tan rezios contrarios verás
qué tal pararán vn flaco subjecto, donde estu-
uieren aposentados.*

Sos.—*¿Piénsaste tú que le penan a él mucho
los muertos? Si no le penasse más a aquella
que desde esta ventana veo yo yr por la calle, no
lleuaría las tocas de tal color.*

Trist.—*¿Quién es, hermano?*

Sos.—*Llégate acá e verla has antes que tras-
ponga. Mira aquella lutosa que se limpia agora
las lágrimas de los ojos. Aquella es Elicia, criada de Celestina e amiga de Sempronio. Vna muy
bonita moça; avnque queda agora perdida la pecadora, porque tenía a Celestina por madre e a
Sempronio por el principal de sus amigos. E
aquella casa donde entra, allí mora vna hermosa
muger, muy graciosa e fresca, enamorada, medio ramera; pero no se tiene por poco dichoso
quien la alcança tener por amiga sin grande escote, e llámase Areusa. Por la cual sé yo que ouo
el triste de Pármeno más de tres noches malas
e avn que no le plaze a ella con su muerte.*

AUCTO DEZIMOQUINTO

ARGUMENTO

DEL DÉCIMOQUINTO AUCTO

Areusa dize palabras injuriosas a un rufián llamado Cen-
turio, el qual se despide della por la venida de Elicia, la qual 5
cuenta a Areusa las muertes que sobre los amores de Calisto
e Melibea se auían ordenado, e conciertan Areusa y Elicia que
Centurio aya de vengar las muertes de los tres en los dos
enamorados. En fin, despídese Elicia de Areusa, no consintien-
do en lo que le ruega, por no perder el buen tiempo que se 10
daua, estando en su asueta casa.

AREUSA, CENTURIO, ELICIA

ELIC.—*Qué bozear es este de mi prima? Si*
ha sabido las tristes nueuas que yo le traygo, no
auré yo las albricias de dolor que por tal men- 15
saje se ganan. Llore, llore, vierta lágrimas, pues
no se hallan tales hombres a cada rincón. Plá-
zeme que assí lo siente. Messe aquellos cabellos
como yo triste he fecho, sepa que es perder bue-
na vida más trabajo que la misma muerte. ¡O 20
quánto más la quiero que hasta aquí por el gran
sentimiento que muestra!

AREUSA.—*Vete de mi casa, rufián, vellaco, mentiroso, burlador, que me traes engañada, boua, con tus offertas vanas. Con tus ronces e halagos hasme robado quanto tengo. Yo te dí,*
5 *vellaco, sayo e capa, espada e broquel, camisas de dos en dos a las mill marauillas labradas, yo te dí armas e cauallo, púsete con señor que no le merescías descalçar; agora vna cosa que te pido que por mí fagas pónesme mill achaques.*
10 CENTURIO.—*Hermana mía, mándame tú matar con diez hombres por tu servicio e no que ande vna legua de camino a pie.*

---

1 *Areusa.* No es ciertamente la del autor, en el auto VII, pues la convierte el corrector en una mujerota deslenguada y cerril y más fanfarrona que el mismo fanfarrón *Centurio.*

3 *Ronces,* halagos. Hállase en el *Tesoro* de 1671, y es posverbal de *ronzar* y *roncear.* GUEV., *Ep.*, *pte.* 2, 15: Ruega y aun roncea a su moza le peine un rato. J. PIN., *Agr.*, 20, 19: Tiene necesidad de pedir a otros, y para impetrar ha menester roncearlas y hacerlas arengas. FR. IÑIGO LOP. MEND.: Que su ronce, más que lanza, | sin dubdanza, | fuerza al rey por manera | que consienta cuanto quiera. (CEJADOR, *Tesor.*, *N*, 46, y *Vocab. medieval.*)

10 *Centurio,* acaso le ocurrió al corrector este nombre de rufián pensando en el *miles gloriosus* del teatro latino. En el *Eunuco,* de Terencio (v. 775), se dice: "Ubi *centurio* est Sanga, manipulus furum?" Los rufianes de Plauto y Terencio fueron modelos del *Centurio,* así como el Capadocio del *Curculio,* el Labrax del *Rudens,* el Dórdalo de *El Persa,* el Samión de los *Adelfos.* Igualmente los *milites gloriosi,* como Therapontigono en el *Curculio,* Pyrgopolinices en el *Miles,* Arasophanes en el *Truculentus.* Este personaje es lo único de bueno que al corrector le ocurrió, pues el valentón es el primer personaje español. A la verdad, no tuvo que devanarse mucho los sesos, pues se halla tras cada esquina y todos los

AREU.—¿*Porqué jugaste tú el cauallo, tahur
vellaco? Que si por mí no ouiesse sido, estarías
tú ya ahorcado. Tres vezes te he librado de la
justicia, quatro vezes desempeñado en los table-
ros. ¿Porqué lo hago? ¿Porqué soy loca? ¿Porqué tengo fe con este couarde? ¿Porqué creo
sus mentiras? ¿Porqué le consiento entrar por
mis puertas? ¿Qué tiene bueno? Los cabellos
crespos, la cara acuchillada, dos vezes açotado,
manco de la mano del espada, treynta mugeres
en la putería. Salte luego de ay. No te vea yo
más, no me hables ni digas que me conoces; si
no, por los huesos del padre que me hizo e de
la madre que me parió, yo te haga dar mill pa-*

---

continuadores dramáticos de esta obra le sacaron a plaza.
Pero es tan exagerado como el *miles gloriosus* latino y griego,
desde el περίαλλος de Epicarmo, que Casaubon interpreta "qui
caeteris praestat aut vult videri praestare", el *Thrason*, de
Menandro, de cuya comedia *Eunuco* pasó a la del mismo nombre de Terencio, y el *Polemon* o guerrero y el *Leontichus* de
Luciano, tan hazañero, que espanta a la querida con sólo
contarle sus fazañas *(Diál. meretric.).*

1 Cotéjese esta pintura del Centurio y lo que dice Areusa
que ha hecho por él con lo que en el auto VII dice la misma
de *aquel mi amigo,* que se *partió ayer con su capitán a la
guerra.* Este Centurio ni es soldado ni se partió, pues aquí
le tenemos, ni es más que un cobarde. *Me da todo lo que he
menester; tiéneme honrada, favóréceme y trátame como si
fuesse su señora.* Que no tenía otro amante bien lo dicen ella
y Celestina. ¿De dónde ha salido, pues, por escotillón este
rufianazo cobardón y tan mal fachado y peor calificado en lo
moral, con quien Areusa anda envuelta hace tanto tiempo?
Pues de la cabeza del corrector. Realmente los nombres de
Areusa y Elicia son los mismos que en la Comedia Celestina; pero la comedia presente es otra y otros los personajes.

*los en essas espaldas de molinero. Que ya sabes
que tengo quien lo sepa hazer y, hecho, salirse
con ello.*

CENT.—*¡Loquear, bouilla! Pues si yo me en-
saño, alguna llorará. Mas quiero yrme e çofrir-
te, que no sé quien entra, no nos oyan.*

ELIC.—*Quiero entrar, que no es són de buen
llanto donde ay amenazas e denuestos.*

AREU.—*¡Ay triste yo! ¿Eres tú, mi Elicia?
¡Jesú, Jesú! no lo puedo creer. ¿Qué es esto?
¿Quién te me cubrió de dolor? ¿Qué manto de
tristeza es este? Cata, que me espantas, hermana mía. Dime presto qué cosa es, que estoy sin
tiento, ninguna gota de sangre has dexado en
mi cuerpo.*

ELIC.—*¡Gran dolor, gran pérdida! Poco es
lo que muestro con lo que siento y encubro; más
negro traygo el coraçón que el manto, las entrañas que las tocas. ¡Ay hermana, hermana,
que no puedo fablar! No puedo de ronca sacar
la boz del pecho.*

AREU.—*¡Ay triste! ¿Qué me tienes suspensa?
Dímelo, no te messes, no te rascuñes ni maltra-*

---

9 Todo el mundo sabía el caso de Celestina y el de los
dos mozos: sola la amante de uno de ellos, y discípula de
la vieja, no lo sabe, ni aun Centurio, que acaba de estar con
ella y anda todo el día callejeando. Además, al final del auto
14 dijo el corrector que lo sabía: *e aun que no le plaze a ella
con su muerte.*

tes. ¿Es común de entrambas este mal? ¿Tócame a mí?

ELIC.—*¡Ay prima mía e mi amor! Sempronio e Pármeno ya no biuen, ya no son en el mundo. Sus ánimas ya están purgando su yerro. Ya son libres desta triste vida.* 5

AREU.—*¿Qué me cuentas? No me lo digas. Calla por Dios, que me caeré muerta.*

ELIC.—*Pues más mal ay que suena. Oye a la triste, que te contará más quexas. Celestina,* 10 *aquella que tú bien conosciste, aquella que yo tenía por madre, aquella que me regalaua, aquella que me encubría, aquella con quien yo me honrraua entre mis yguales, aquella por quien yo era conoscida en toda la ciudad e arrabales,* 15 *ya está dando cuenta de sus obras. Mill cuchilladas le ví dar a mis ojos: en mi regaço me la mataron.*

AREU.—*¡O fuerte tribulación! ¡O dolorosas nueuas, dignas de mortal lloro! ¡O acelerados* 20 *desastres! ¡O pérdida incurable! ¿Cómo ha rodeado atan presto la fortuna su rueda? ¿Quién los mató? ¿Cómo murieron? Que estoy enuelesada, sin tiento, como quien cosa impossible oye.*

---

9 CORR., 110: *En el aldigüela, más mal hay que suena.* (Refrán es muy antiguo, no tan moderno como el autor de una comedia dice, que hizo de un duque de Alba y un hijo valeroso, entendiendo ser la *Aldigüela* lugar que está entre El Barco y Piedrahita, llamado la *Aldigüela;* toda aquella tierra es del duque de Alba.)

No ha ocho días que los vide biuos e ya pode-
mos dezir: perdónelos Dios. Cuéntame, amiga
mía, cómo es acaescido tan cruel e desastrado
caso.

5   ELIC.—*Tú lo sabrás. Ya oyste dezir, herma-*
na, los amores de Calisto e la loca de Melibea.
Bien verías cómo Celestina auía tomado el car-
go, por intercessión de Sempronio, de ser media-
nera, pagándole su trabajo. La qual puso tanta
10 *diligencia e solicitud, que a la segunda açado-*
nada sacó agua. Pues, como Calisto tan presto
vido buen concierto en cosa que jamás lo espe-
raua, a bueltas de otras cosas dió a la desdicha-
da de mi tía vna cadena de oro. E como sea de
15 *tal calidad aquel metal, que mientra más beue-*
mos dello más sed nos pone, con sacrílega ham-
bre, quando se vido tan rica, alçóse con su ga-
nancia e no quiso dar parte a Sempronio ni a
Pármeno dello, lo qual auía quedado entre ellos
20 *que partiessen lo que Calisto diesse. Pues, como*
ellos viniessen cansados vna mañana de acom-
pañar a su amo toda la noche, muy ayrados de

---

2   Todo esto está fuera de quicio. Como si Areusa no
supiera lo de Calisto y Melibea.

10   CORR., 4: *A la primera azadonada queréis sacar*
agua.

17   *Alçóse,* no hubiera dicho tal la Elicia del autor, pues
era una misma cosa con Celestina y entraba tan a la parte como ella. Sentimientos son de los mozos asesinos y del
corrector, que de ellos los traspasa desmañadamente a
Elicia.

no sé qué questiones que dizen que auían auido,
pidieron su parte a Celestina de la cadena para
remediarse. Ella púsose en negarles la conuen-
ción e promesa e dezir que todo era suyo lo ga-
nado, e avn descubriendo otras cosillas de secre- 5
tos, que, como dizen: riñen las comadres, etc.
Assí que ellos muy enojados, por vna parte los
aquexaua la necessidad, que priua todo amor;
por otra, el enojo grande e cansancio que trayan,
que acarrea alteración; por otra, auían la fe 10
quebrada de su mayor esperança. No sabían
qué hazer. Estuuieron gran rato en palabras.
Al fin, viéndola tan cobdiciosa, perseuerando en
su negar, echaron mano a sus espadas e diéronle
mill cuchilladas. 15

AREU.—*¡O desdichada de muger! ¡Y en esto*
auía su vejez de fenescer! ¿E dellos, qué me di-
zes? ¿En qué pararon?

ELIC.—*Ellos, como ouieron hecho el delicto,*
por huyr de la justicia, que acaso passaua por 20
allí, saltaron de las ventanas e quasi muertos los
prendieron e sin más dilación los degollaron.

---

6 CORR., 481: *Riñen las comadres y dícense las verda-*
des. Aquí Elicia hace un alegato por los asesinos, no siendo ese su papel en la primitiva *Comedia,* sino todo lo contrario, pues decía ella al fin del auto XII: "¡O crueles
enemigos! ¡En mal poder os veays! ¡E para quién tovistes
manos! Muerta es mi madre e mi bien todo." Dígase ahora
si el que escribió estas palabras pudo escribir las que siguen
en el texto.

AREU.—*¡O mi Pármeno e mi amor! ¡Y quánto dolor me pone su muerte! Pésame del grande amor que con él tan poco tiempo auía puesto, pues no me auía más de durar. Pero pues ya* 5 *este mal recabdo es hecho, pues ya esta desdicha es acaescida, pues ya no se pueden por lágrimas comprar ni restaurar sus vidas, no te fatigues tú tanto, que cegarás llorando. Que creo que poca ventaja me lleuas en sentimiento y ve-* 10 *rás con quánta paciencia lo çuffro y passo.*

ELIC.—*¡Ay que rauio! ¡Ay mezquina, que salgo de seso! ¡Ay, que no hallo quien lo sienta como yo! No hay quien pierda lo que yo pierdo. ¡O quánto mejores y más honestas fueran mis* 15 *lágrimas en passión ajena, que en la propia mía! ¿A donde yré, que pierdo madre, manto y abrigo; pierdo amigo y tal que nunca faltaua de mi marido? ¡O Celestina sabia, honrrada y autorizada, quántas faltas me encobrías con tu buen* 20 *saber! Tú trabajauas, yo holgaua; tú salías fuera, yo estaua encerrada; tú rota, yo vestida; tú entrauas contino como abeja por casa, yo des-*

---

1 Floja, muy floja está Areusa en sentir lo de Celestina y Pármeno, tan floja, que es cosa de reír, y fuera de llorar si un tan gran ingenio como el del autor de la *Comedia* hubiera dado tamaño baque.

11 *¡Ay que ravio!* Después de dar casi la razón a los asesinos, todo este plañir a la asesinada es cómico, y 'sin pretenderlo el corrector, que es lo bueno.

*truya, que otra cosa no sabía hazer. ¡O bien y
gozo mundano, que mientra eres posseydo eres
menospreciado y jamás te consientes conocer
hasta que te perdemos! ¡O Calisto y Melibea,
causadores de tantas muertes! ¡Mal fin ayan* 5
*vuestros amores, en mal sabor se conuiertan
vuestros dulces plazeres! Tórnese lloro vuestra
gloria, trabajo vuestro descanso. Las yeruas de-
leytosas, donde tomays los hurtados solazes, se
conuiertan en culebras, los cantares se os tor-* 10
*nen lloro, los sombrosos árboles del huerto se se-
quen con vuestra vista, sus flores olorosas se
tornen de negra color.*

AREU.—*Calla, por Dios, hermana, pon silencio a tus quexas, ataja tus lágrimas, limpia tus* 15
*ojos, torna sobre tu vida. Que quando vna puer-
ta se cierra, otra suele abrir la fortuna, y este
mal, avnque duro, se soldará. E muchas cosas
se pueden vengar que es impossible remediar y*

---

1 *¡O bien...* ¡Ahora se mete a filosofar **esta** mocita de
la casa llana! Su filosofía y experiencia y desengaños le
presta el corrector. El cual era más cristiano rancio que
el autor de la *Comedia*, como lo muestra acordándose del
infierno cadaque recuerda la muerte de Celestina y de los
mozos, como se habrá notado. No lo tenía tan en el alma
Rojas, que sólo les hace pedir *confesión* en el momento de
morir, por ser cosa de ene, aunque acaso él no lo sintiera.

16 *Cuando una puerta se cierra, otra se abre. Selv.,* 259;
Comed. Eufros., 6. Y nótese que el corrector no suele citar
los refranes con la puntualidad que el autor los citaba antes. Por más que le quiera imitar en encajarlos, no le vienen
a la cabeza las fórmulas tradicionales.

esta tiene el remedio dudoso e la vengança en
la mano.

ELIC.—¿De quién se ha de auer enmienda, que
la muerta y los matadores me han acarreado esta
⁵ cuyta? No menos me fatiga la punición de los
delinquentes que el yerro cometido. ¿Qué mandas que haga, que todo carga sobre mí? Plu-
guiera a Dios que fuera yo con ellos e no que-
dara para llorar a todos. Y de lo que más dolor
¹⁰ siento es ver que por esso no dexa aquel vil de
poco sentimiento de ver y visitar festejando cada
noche a su estiércol de Melibea, y ella muy ufana
en ver sangre vertida por su seruicio.

AREU.—Si esso es verdad, ¿de quién mejor
¹⁵ se puede tomar vengança? De manera que quien
lo comió, aquel lo escote. Déxame tú, que si
yo les caygo en el rastro, quándo se veen e cómo,
por dónde e a qué hora, no me ayas tú por hija
de la pastellera vieja, que bien conosciste, si no
²⁰ hago que les amarguen los amores. E si pongo
en ello a aquel con quien me viste que reñía
quando entrauas, si no sea él peor verdugo para
Calisto que Sempronio de Celestina. Pues, ¡qué
gozo auría agora él en que le pusiesse yo en algo
²⁵ por mi seruicio, que se fué muy triste de verme

---

5 *Punición*, latinismo.
21 ¡Como si no conociera Areusa para lo que vale la
gallina del Centurio para encomendarle tales embajadas!
Todo esto es preparar lo que al fin y a la postre se reduce
a agua de cerrajas: es alargar la obra por alargarla.

*que le traté mal! E vería él los cielos abiertos
en tornalle yo a hablar e mandar. Por ende, hermana, dime tú de quién pueda yo saber el negocio cómo passa, que yo le haré armar vn lazo
con que Melibea llore quanto agora goza.* 5

ELIC.—*Yo conozco, amiga, otro compañero de
Pármeno, moço de cauallos, que se llama Sosia,
que le acompaña cada noche. Quiero trabajar de
se lo sacar todo el secreto e este será buen camino para lo que dizes.* 10

AREU.—*Mas hazme este plazer, que me em-
bíes acá esse Sosia. Yo le halagaré e diré mill
lisonjas e offrescimientos hasta que no le dexe
en el cuerpo de lo hecho e por hazer. Después
a él e a su amo haré reuessar el plazer comido.* 15
*E tú, Elicia, alma mía, no recibas pena. Passa
a mi casa tu ropa e alhajas e vente a mi compañía, que estarás muy sola e la tristeza es amiga
de la soledad. Con nueuo amor oluidarás los viejos. Vn hijo que nasce restaura la falta de tres* 20
*finados: con nueuo sucessor se pierde la alegre
memoria e plazeres perdidos del passado. De
vn pan que yo tenga, ternás tú la meytad. Más*

---

8 *Cada noche.* Una le acompañó, y si más, esta escena
pasó bastantes días después de la muerte de los tres desdichados, con lo que se hace todavía más increíble el que
Areusa no tuviese de ella noticia.

15 *Revesar,* gormar, volver. GUEV., *Ep.,* 22: ¿Qué aprovecha tener buena comida, si de solo verla poner en la mesa
da arcadas (el enfermo) y reviesa?

lástima tengo de tu fatiga que de los que te la
ponen. Verdad sea, que cierto duele más la pér-
dida de lo que hombre tiene que da plazer la es-
perança de otro tal, avnque sea cierta. Pero ya
5 *lo hecho es sin remedio e los muertos irrecupe-*
rables. E como dizen: mueran e biuamos. A los
biuos me dexa a cargo, que yo te les daré tan
amargo xarope a beuer, qual ellos a tí han dado.
¡Ay prima, prima, cómo sé yo, quando me ensa-
10 *ño, reboluer estas tramas, avnque soy moça! E*
de ál me vengue Dios, que de Calisto Centurio
me vengará.

ELIC.—*Cata que creo que, avnque llame el que*
mandas, no aurá effecto lo que quieres, porque
15 *la pena de los que murieron por descobrir el se-*
creto porná silencio al biuo para guardarle. Lo
que me dizes de mi venida a tu casa te agrades-
co mucho. E Dios te ampare e alegre en tus ne-
cessidades, que bien muestras el parentesco e
20 *hermandad no seruir de viento, antes en las ad-*
uersidades aprouechar. Pero, avnque lo quiera
hazer, por gozar de tu dulce compañía, no podrá
ser por el daño que me vernía. La causa no es
necessario dezir, pues hablo con quien me en-
25 *tiende. Que allí, hermana, soy conoscida, allí*

---

6 No está en Correas ni conozco este refrán; sí el
otro: *El muerto iba a la huesa y el vivo a la mesa* (CORR.,
106), o *El muerto a la fosada y el vivo a la hogaza* (ídem,
106), o *El muerto a la mortaja* (ídem, 106). [Más variantes
en CEJADOR. *Refranero: Muerto.*]

*estoy aparrochada. Jamás perderá aquella casa
el nombre de Celestina, que Dios aya. Siempre
acuden allí moças conoscidas e allegadas, medio
parientas de las que ella crió. Allí hazen sus conciertos, de donde se me seguirá algún prouecho.* 5
*E también essos pocos amigos que me quedan,
no me saben otra morada. Pues ya sabes quán
duro es dexar lo vsado e que mudar costumbre
es a par de muerte e piedra mouediza que nunca
moho la cobija. Allí quiero estar, siquiera por-* 10
*que el alquile de la casa, que está pagado por
ogaño, no se vaya en balde. Assí que, avnque
cada cosa no abastasse por sí, juntas aprouechan
e ayudan. Ya me paresce que es hora de yrme.
De lo dicho me lleuo el cargo. Dios quede conti-* 15
go, que me voy.

---

1 *Aparrochada*, así *S*, en *V aperrochada*, en *Z apa-
rroquiada.* Corrijo y se confirma con *Lisandro y Roselia*,
1, 3, que repite este texto: Allí estoy aparrochada, jamás
perderá aquella casa el nombre de Celestina, que Dios haya...
8 CORR., 474: *Mudar costumbre es a par de muerte.*
9 S. BALLESTA: *Piedra movediza no la cubre moho.* Idem
en *Refr. glos.* CORR., 391: *Piedra movediza, nunca moho la
cobija,* o *nunca la cubre moho.*
11 *Alquile*, alquiler. TAFUR., 51: E a de dar por el alquile
dos ducados.

AUCTO DEZIMO SESTO

ARGUMENTO

DEL DÉCIMOSESTO AUCTO

Pensando Pleberio e Alisa tener su hija Melibea el don
de la virginidad conseruado, lo qual, según ha parescido,
está en contrario, y están razonando sobre el casamiento
de Melibea; e en tan gran quantidad le dan pena las pala-
bras que de sus padres oye, que embía a Lucrecia para que
sea causa de su silencio en aquel propósito.

PLEBERIO, ALISA, LUCRECIA, MELIBEA

PLEB.—*Alisa, amiga, el tiempo, según me pa-*
rece, se nos va, como dizen, entre las manos. Co-
rren los días como agua de río. No hay cosa tan
ligera para huyr como la vida. La muerte nos
sigue e rodea, de la qual somos vezinos e hazia
su vandera nos acostamos, según natura. Esto
vemos muy claro, si miramos nuestros ygua-

---

13 Véanse las Coplas de Jorge Manrique, escritas el
año 1476: "Nuestros días son los ríos, | que van a dar en
la mar, | que es el morir."

16 *Vandera,* banda, lado. *Nos acostamos.* GRAN., *Adic.*
mem., 1, 1, 7: Síguese que adonde se acostare el amor, allí
se acostará la voluntad y eso abrazará todo el hombre.

les, nuestros hermanos e parientes en derredor. Todos los come ya la tierra, todos están en sus perpetuas moradas. E pues somos inciertos quándo auemos de ser llamados, viendo tan ciertas señales, deuemos echar nuestras baruas en 5 *remojo e aparejar nuestros fardeles para andar este forçoso camino; no nos tome improuisos ni de salto aquella cruel boz de la muerte. Ordenemos nuestras ánimas con tiempo, que más vale preuenir que ser preuenidos. Demos nuestra* 10 *tra hazienda a dulce sucessor, acompañemos nuestra vnica hija con marido, qual nuestro estado requiere, porque vamos descansados e sin dolor deste mundo. Lo qual con mucha diligencia deuemos poner desde agora por obra, e lo* 15 *que otras vezes auemos principiado en este caso, agora aya execución. No quede por nuestra negligencia nuestra hija en manos de tutores, pues parescerá ya mejor en su propia casa que en la nuestra. Quitarla hemos de lenguas de vulgo,* 20

---

5 CORR., 367: *Cuando la barba de tu vecino vieres pelar, echa la tuya a remojar, o echa la tuya en remojo.*

6 *Fardeles.* FONS., *Am. Dios,* 28: Al primer mercado cada uno hizo su fardel de los trabajos y pesadumbres de casa.

8 *De salto.* A. ALV., *Silv. Dom. 3 cuar. 5 c.:* Que viniera al mundo de salto y de improviso.

9 Del *Laberinto,* de Mena, 132: "Mas val prevenir, que ser prevenidos." Nótese que el corrector es cristiano rancio; al autor, que no lo era, no le ocurrían estos pensamientos.

13 *Vamos,* por *vayamos,* era común, así en el *Quijote,* passim.

*porque ninguna virtut ay tan perfecta que no
tenga vituperadores e maldizientes. No ay cosa
con que mejor se conserue la limpia fama en las
vírgines, que con temprano casamiento. ¿Quién
⁵ rehuyría nuestro parentesco en toda la ciudad?
¿Quién no se hallará gozoso de tomar tal joya
en su compañía? ¿En quién caben las quatro
principales cosas que en los casamientos se demandan, conuiene a saber: lo primero, discri-
¹⁰ ción, honestidad e virginidad; segundo, hermosura; lo tercero, el alto orígen e parientes; lo
final, riqueza? De todo esto la dotó natura.
Qualquiera cosa que nos pidan hallarán bien
complida.*

¹⁵ ALIC.—*Dios la conserue, mi señor Pleberio,
porque nuestros desseos veamos complidos en
nuestra vida. Que antes pienso que faltará ygual
a nuestra hija, según tu virtut e tu noble sangre, que no sobrarán muchos que la merezcan.
²⁰ Pero como esto sea officio de los padres e muy
ageno a las mugeres, como tú lo ordenares, seré
yo alegre, e nuestra hija obedecerá, según su
casto biuir e honesta vida y humildad.*

LUCR.—*¡Avn si bien lo supiesses, rebentarías!
²⁵ ¡Ya! ¡ya! ¡Perdido es lo mejor! ¡Mal año se os
apareja a la vejez! Lo mejor, Calisto lo lleua.
No hay quien ponga virgos, que ya es muerta Celestina. Tarde acordays y más auíades de
madrugar. ¡Escucha! ¡escucha! señora Melibea.*

MELIB.—*¿Qué hazes ay escondida, loca?*

LUCR.—*Llégate aquí, señora, oyrás a tus pa-*
dres la priessa que traen por te casar.

MELIB.—*Calla, por Dios, que te oyrán. Dé-*
xalos parlar, déxalos deuaneen. Vn mes há que 5
otra cosa no hazen ni en otra cosa entienden.
No parece sino que les dize el coraçón el gran
amor que a Calisto tengo e todo lo que con él
vn mes há he passado. No sé si me han sentido,
no sé qué se sea aquexarles más agora este cuy- 10
dado que nunca. Pues mándoles yo trabajar en
vano. Por demás es la cítola en el molino. ¿Quién
es el que me ha de quitar mi gloria? ¿Quién
apartarme mis plazeres? Calisto es mi ánima,
mi vida, mi señor, en quien yo tengo toda mi 15
sperança. Conozco dél que no biuo engañada.
Pues él me ama, ¿con qué otra cosa le puedo
pagar? Todas las debdas del mundo resciben
compensación en diuerso género; el amor no

---

9 *Passado*, así en *S, Z, A, O;* en *V passada*. Hace un
mes que trata con Calisto, y un mes, por consiguiente, menos uno o dos días, hace que murió Celestina, y en un mes
no se había enterado Areusa!

11 *Mándoles*, del dejar en manda, prometer, certificar.
Quijote, 2, 10: Vive Dios que, si os huele, que os mando
mala ventura.

12 CORR., 397: *Por demás es la cítola en el molino cuan-*
do el molinero es sordo, o por demás es la tarabilla, si el
molinero es sordo. Otra es también aquí Melibea de la del
autor, tan dócil y humilde, tan cariñosa y sumisa con sus
padres. Tan desenfadamente habla de sus padres a la
criada como ésta habla de ellos. ¿Y lo de *mis placeres?*

*admite sino solo amor por paga. En pensar en
él me alegro, en verlo me gozo, en oyrlo me glo-
rifico. Haga e ordene de mí a su voluntad. Si
passar quisiere la mar, con él yré; si rodear el*
5 *mundo, lléueme consigo; si venderme en tierra
de enemigos, no rehuyré su querer. Déxenme
mis padres gozar dél, si ellos quieren gozar de
mí. No piensen en estas vanidades ni en estos
casamientos: que más vale ser buena amiga que*
10 *mala casada. Déxenme gozar mi mocedad alegre, si quieren gozar su vejez cansada; si no,
presto podrán aparejar mi perdición e su sepultura. No tengo otra lástima sino por el tiempo
que perdí de no gozarlo, de no conoscerlo, des-*
15 *pués que a mí me sé conoscer. No quiero marido,
no quiero ensuziar los ñudos del matrimonio, ni
las maritales pisadas de ageno hombre repisar,
como muchas hallo en los antiguos libros que*

---

4 *Si passar.* Véase S. PABLO, *Rom.*, 8, y FONS., *Am.
Dios*, 9: son pensamiento y rodeo bíblico.

9 *Más vale.* Esto ya suena a lo de: *Que no quiero ser
casada, sino libre y enamorada* (CORR., 334). No es este dicho de barragana propio de la Melibea que nos pintó el
autor.

14 *De no gozarlo...* ¡Bonita niña nos ha endilgado el
corrector!

17 *Ni las maritales pisadas.* De MENA, *Los siete pec.
mortal.:*

"Muchos lechos maritales
de ajenas pisadas huellas
y siembras grandes querellas
en deudas tan principales."

*ley o que hizieron más discretas que yo, más
subidas en estado e linaje. Las quales algunas
eran de la gentilidad tenidas por diosas, assí
como Venus, madre de Eneas e de Cupido, el*

---

4 *¿Piensas que sabe ella qué cosas sean hombres?,* dice
luego de Melibea su madre. Y con todo eso, sabe y ha leído
todo esto que trae aquí a cuento de la majadera sentencia
Mas vale ser buena amiga, que mala casada. Aun entre personas gravísimas y tratando de ciencia, pídese salva para
decir lo que aquí desparpajea esta linda hembra. "Vomitad
ya esa ponzoña —dice uno de los *Diálogos* de Juan de Pineda (22, 22)— que ya estamos medicinados con la incredu-
lidad, porque no nos infeccione vuestro sabroso maldecir...
O Mirra, que ungiste el sacratísimo cuerpo del Redentor,
no pongas atención al incesto que la hija de Cinira, de tu
nombre, aunque no de tu casta, cometió con su padre, no la
conociendo de noche o habiéndole primero embriagado (como
muchos lo escriben y estos señores disimulan)." Véanse Ovidio, *Metamórf.,* 10, y *Ars. am.,* 1, e *In Ibim;* Plutarco,
Paralel., c. 22; Stobeus, *Ser.,* 64. Véanse estas y otras his-
torias en Pineda (loc. cit.). De *Tamar,* en el segundo de los
Reyes 13. Algún lector me reprochará el que me haya dete-
nido a comentar toda esta podre. Tiene hasta razón, y con
la misma podrá juzgar si le es más lícito y propio a una
doncella como Melibea sacarla, nada más que por prurito
de mostrar erudición, a propósito de la fea sentencia, que
ni siquiera tiene con ella nada que ver toda esta porquería
más que lo del borracho: *¡A propósito, fray Jarro!* Ganas
del corrector de despintar a la modesta e inocente Melibea
que el autor nos había hecho amar, para que con estos bro-
chazos de burdel viéramos claramente ser él muy otro que
el autor de la *Comedia* y su Melibea lo opuesto de la Melibea que conocíamos. Pero que todo esto sea del corrector nos
lo dice la costumbre que tiene de tomar cosas de Mena.
Efectivamente, de él tomó estas noticias. Lo de Mirra está
en la copla 102 del *Laberinto;* lo de *Canace,* en la 103; lo
de *Pasiphe,* en la 104. Si este lugar hubiera tocado el verdadero autor de la *Comedia,* hubiera tomado ejemplos de adul-
terio del Petrarca (*De Remed.,* 2, 21).

dios del amor, que siendo casada corrompió la
prometida fe marital. E avn otras, de mayores
fuegos encendidas, cometieron nefarios e inces-
tuosos yerros, como Mirra con su padre, Semí-
5 *ramis con su hijo, Canasce con su hermano e*
avn aquella forçada Thamar, hija del rey Dauid.
Otras avn más cruelmente traspassaron las le-
yes de natura, como Pasiphe, muger del rey Mi-
nos, con el toro. Pues reynas eran e grandes
10 *señoras, debaxo de cuyas culpas la razonable*
mía podrá passar sin denuesto. Mi amor fué
con justa causa. Requerida e rogada, catiuada
de su merescimiento, aquexada por tan astuta
maestra como Celestina, seruida de muy peli-
15 *grosas visitaciones, antes que concediesse por*
entero en su amor. Y después vn mes há, como
has visto, que jamás noche ha faltado sin ser
nuestro huerto escalado como fortaleza e mu-
chas auer venido en balde e por esso no me mos-
20 *trar más pena ni trabajo. Muertos por mí sus*
seruidores, perdiéndose su hazienda, fingiendo
absencia con todos los de la ciudad, todos los días
encerrado en casa con esperança de verme a la
noche. ¡Afuera, afuera la ingratitud, afuera las
25 *lisonjas e el engaño con tan verdadero amador,*
que ni quiero marido ni quiero padre ni parien-

---

26 *Ni quiero marido ni...* El colmo de la mujer perdida,
que no cabe en la virginal hija de Pleberio.

*tes! Faltándome Calisto, me falte la vida, la
qual, porque él de mí goze, me aplaze.*

LUCR.—*Calla, señora, escucha, que todavía
perseueran.*

PLEB.—*Pues, ¿qué te parece, señora muger?* 5
*¿Deuemos hablarlo a nuestra hija, deuemos dar-
le parte de tantos como me la piden, para que
de su voluntad venga, para que diga quál le
agrada? Pues en esto las leyes dan libertad a
los hombres e mugeres, avnque estén so el pa-* 10
terno poder, para elegir.

ALIC.—*¿Qué dizes? ¿En qué gastas tiempo?
¿Quién ha de yrle con tan grande nouedad a
nuestra Melibea, que no la espante? ¡Cómo! ¿E
piensas que sabe ella qué cosa sean hombres?* 15
*¿Si se casan o qué es casar? ¿O que del ayun-
tamiento de marido e muger se procreen los
hijos? ¿Piensas que su virginidad simple le acarrea torpe desseo de lo que no conosce ni ha
entendido jamás? ¿Piensas que sabe errar avn* 20
*con el pensamiento? No lo creas, señor Plebe-
rio, que si alto o baxo de sangre o feo o gentil
de gesto le mandaremos tomar, aquello será su
plazer, aquello aurá por bueno. Que yo sé bien
lo que tengo criado en mi guardada hija.* 25

---

12 Esto ya es pintar boba de remate a la madre, im-
propio, no ya del excelso ingenio del autor de la *Comedia*,
pero aun del más novato y ramplón de los escritores.

MELIB.—*Lucrecia, Lucrecia, corre presto, entra por el postigo en la sala y estóruales su hablar, interrúmpeles sus alabanças con algún fingido mensaje, si no quieres que vaya yo dando* ⁵ *bozes como loca, según estoy enojada del concepto engañoso que tienen de mi ignorancia.*

LUCR.—*Ya voy, señora.*

---

1 Menéndez y Pelayo no halla en todo lo añadido a la primitiva *Comedia* otro trozo mejor que éste con que persuadirse ser lo añadido fruta del mismo peral que los diez y seis actos primitivos. Tal como el corrector pintó de desvergonzada a Melibea y de reteboba a su madre, es consecuencia natural esta exclamación, y no creo se quebrara mucho la cabeza el corrector para dar en ella ni que sea hondísima inventiva de un ingenio de primer orden. Tan natural y a la mano es la consecuencia, como antinaturales, desapropositadas y contra la primitiva pintura de los personajes son las dos premisas.

AUCTO DEZIMOSEPTIMO

ARGUMENTO

DEL DÉCIMOSÉPTIMO AUCTO

Elicia, caresciendo de la castimonia de Penélope, determi-
na de despedir el pesar e luto que por causa de los muertos 5
trae, alabando el consejo de Areusa en este propósito; la
qual va a casa de Areusa, adonde viene Sosia, al qual Areu-
sa con palabras fictas saca todo el secreto que está entre
Calisto e Melibea.

ELICIA, AREUSA, SOSIA 10

ELIC.—*Mal me va con este luto. Poco se vi-*
sita mi casa, poco se passea mi calle. Ya no veo
las músicas de la aluorada, ya no las canciones
de mis amigos, ya no las cuchilladas ni ruydos
de noche por mi causa e, lo que peor siento, que 15
ni blanca ni presente veo entrar por mi puerta.
De todo esto me tengo yo la culpa, que si to-

---

11 *Poco se visita mi casa.* Lo contrario dijo en el auto
XV: "Siempre acuden allí moças conoscidas e allegadas..."
Y cierto, donde hay cebo no faltarán palomas, digo, donde
hay tales palomas, palomos no faltarán. Sino que aquí le
conviene al corrector lo contrario que allá, y no es hombre
que repare en pelillos.

mara el consejo de aquella que bien me quiere,
de aquella verdadera hermana, quando el otro
día le lleué las nueuas deste triste negocio, que
esta mi mengua ha acarreado, no me viera ago-
5 *ra entre dos paredes sola, que de asco ya no ay*
quien me vea. El diablo me da tener dolor por
quien no sé si, yo muerta, lo tuuiera. A osadas,
que me dixo ella a mí lo cierto: nunca, herma-
na, traygas ni muestres más pena por el mal
10 *ni muerte de otro que él hiziera por tí. Sempro-*
nio holgara, yo muerta; pues ¿porqué, loca, me
peno yo por él degollado? ¿E qué sé si me ma-
tara a mí, como era acelerado e loco, como hizo
a aquella vieja que tenía yo por madre? Quiero
15 *en todo seguir su consejo de Areusa, que sabe*
más del mundo que yo e verla muchas vezes e
traer materia cómo biua. ¡O qué participación
tan suaue, qué conuersación tan gozosa e dulce!
No en balde se dize: que vale más vn día del
20 *hombre discreto que toda la vida del nescio e*
simple. Quiero, pues, deponer el luto, dexar tris-

---

15 *Que sabe.* En efecto, en lo añadido por el corrector
Areusa es mujer ducha y de rompe y rasga, y Elicia es una
bobica. En la primitiva *Comedia* era todo al revés: Areusa era novicia y Elicia verdadera discípula de Celestina,
y tal como la interpretó el autor de la *Tragicomedia de
Lisandro y Roselia,* llamada *Elicia.* Pero el corrector no
lo entendió o no supo seguir la traza del autor, o nece-
sitaba una hembra de esas agallas para introducir su *Centurio.*

19 CORR., 451: *Más vale un día del discreto, que toda
la vida del necio.*

teza, despedir las lágrimas, que tan aparejadas
han estado a salir. Pero como sea el primer officio que en nasciendo hazemos, llorar, no me
marauilla ser más ligero de començar e de dexar
más duro. Mas para esto es el buen seso, vien- 5
do la pérdida al ojo, viendo que los atauíos hazen la muger hermosa, avnque no lo sea, tor-
nan de vieja moça e a la moça más. No es otra
cosa la color e aluayalde, sino pegajosa liga en
que se trauan los hombres. Ande, pues, mi espe- 10
jo e alcohol, que tengo dañados estos ojos; anden mis tocas blancas, mis gorgueras labradas,
mis ropas de plazer. Quiero adereçar lexía para
estos cabellos, que perdían ya la ruuia color y,
esto hecho, contaré mis gallinas, haré mi cama, 15
porque la limpieza alegra el coraçón, barreré mi
puerta e regaré la calle, porque los que passaren vean que es ya desterrado el dolor. Mas
primero quiero yr a visitar mi prima, por pre-
guntarle si ha ydo allá Sosia e lo que con él ha 20
passado, que no lo he visto después que le dixe
cómo le quería hablar Areusa. Quiera Dios que
la halle sola, que jamás está desacompañada de
galanes, como buena tauerna de borrachos.

ELIC.—Cerrada está la puerta. No deue es- 25
tar allá hombre. Quiero llamar. Tha, tha.

---

26 *Hombre*, nadie: véase mi edición de HITA.

AREU.—¿Quién es?

ELIC.—Abre, amiga; Elicia soy.

AREU.—Entra, hermana mía. Véate Dios, que tanto plazer me hazes en venir como vienes, mudado el hábito de tristeza. Agora nos gozaremos juntas, agora te visitaré, vernos hemos en mi casa y en la tuya. Quiçá por bien fué para entrambas la muerte de Celestina, que yo ya siento la mejoría más que antes. Por esto se dize que los muertos abren los ojos de los que biuen, a vnos con haziendas, a otros con libertad, como a tí.

ELIC.—A tu puerta llaman. Poco espacio nos dan para hablar, que te querría preguntar si auía venido acá Sosia.

AREU.—No ha venido; después hablaremos. ¡Qué porradas que dan! Quiero yr abrir, que o es loco o priuado.

¿Quién llama?

SOS.—Abreme, señora. Sosia soy, criado de Calisto.

---

10 CORR., 205: *Los muertos abren los ojos a los vivos.* (Con el ejemplo de que murieron, y lo mismo será de nos. El otro dice: "Los que dan consejos algo ciertos a los vivos, son los muertos.") Idem, 205: *Los muertos abren los ojos a los que vivan.* (Entiéndese con la hacienda con que medran los herederos.) A este segundo alude el texto.

18 CORR., 151: *O es loco o privado, quien llama apresurado.*

Areu.—*Por los santos de Dios, el lobo es en la conseja. Escóndete, hermana, tras esse paramento e verás quál te lo paro, lleno de viento de lisonjas, que piense, quando se parta de mí, que es él e otro no. E sacarle he lo suyo e lo ageno del buche con halagos, como él saca el poluo con la almohaça a los cauallos.* 5

Areu.—¿*Es mi Sosia, mi secreto amigo? ¿El que yo me quiero bien sin que él lo sepa? ¿El que desseo conoscer por su buena fama? ¿El fiel a su amo? ¿El buen amigo de sus compañeros? Abraçarte quiero, amor, que agora que te veo creo que ay más virtudes en tí que todos me dezían. Andacá, entremos a assentarnos, que me gozo en mirarte, que me representas la figura del desdichado de Pármeno. Con esto haze oy tan claro día que auías tú de venir a uerme. Dime, señor, ¿conoscíasme antes de agora?* 10 15

Sos.—*Señora, la fama de tu gentileza, de tus gracias e saber buela tan alto por esta ciudad, que no deues tener en mucho ser de más conos-* 20

---

1 Corr., 81: *El lobo en la conseja.* Del advertir, estar presente o llegar aquel de quien se habla y murmura, para que se callen todos.

3 *Paramento*, paño con que se cubre alguna cosa.

6 *Sacarle del buche*, hacerle desembuchar y decir lo secreto.

8 *Amigo*, en *S, Z, A, O:* falta en *V.*

14 *Andacá*, J. Enc., 31: No te cures, andacá. *Obreg.*, 7: Hijo, andad acá y mostrándole.

*cida que conosciente, porque ninguno habla en
loor de hermosas que primero no se acuerde de
tí que de quantas son.*

ELIC.—(Aparte. Escondida.) *¡O hideputa el
pelón e cómo se desasna! ¡Quién le ve yr al agua
con sus cauallos en cerro e sus piernas de fuera, en sayo, e agora en verse medrado con calças e capa, sálenle alas e lengua!*

AREU.—*Ya me correría con tu razón, si alguno estuuiesse delante, en oyrte tanta burla
como de mí hazes; pero, como todos los hombres traygays proueydas essas razones, essas
engañosas alabanças, tan comunes para todas,
hechas de molde, no me quiero de tí espantar.
Pero hágote cierto, Sosia, que no tienes dellas
necessidad; sin que me alabes te amo y sin que
me ganes de nueuo me tienes ganada. Para lo
que te embié a rogar que me viesses, son dos
cosas, las quales, si más lisonja o engaño en tí
conozco, te dexaré de dezir, avnque sean de tu
prouecho.*

SOS.—*Señora mía, no quiera Dios que yo te
haga cautela. Muy seguro venía de la gran mer-*

---

5 *Pelón*, el pobrete que está pelado, sin dinero. *Quij.*,
2, 24: Más quiero tener por amo y por señor al rey y ser-
virle en la guerra, que no a un pelón en la Corte. *Desasnarse*,
afinarse, mostrarse culto. TIRSO, *Amor y celos*, 2, 9: De-
sasnóse nuestro necio. Vulgar es la frase *ya se desasna*, esto
es: ya saca los pies de las aguaderas.

6 *En cerro*, sin montura alguna, en pelo. *G. Alf.*, 1, 1, 1:
Si lo dejan en cerro y desenjaezado.

*ced, que me piensas hazer e hazes. No me sentía
digno para descalçarte. Guía tú mi lengua, responde por mí a tus razones, que todo lo avré
por rato e firme.*

AREU.—*Amor mío, ya sabes quánto quise a* 5
*Pármeno, e como dizen: quien bien quiere a
Beltrán a todas sus cosas ama. Todos sus amigos me agradauan, el buen seruicio de su amo,
como a él mismo, me plazía. Donde vía su daño
de Calisto, le apartaua. Pues como esto assí sea,* 10
*acordé dezirte, lo vno, que conozcas el amor que
te tengo e quánto contigo e con tu visitación
siempre me alegrarás e que en esto no perderás
nada, si yo pudiere, antes te verná prouecho.
Lo otro e segundo, que pues yo pongo mis ojos* 15
*en tí, e mi amor e querer, auisarte que te guar-
des de peligros e más de descobrir tu secreto a
ninguno, pues ves quánto daño vino a Pármeno
e a Sempronio de lo que supo Celestina, porque
no querría verte morir mallogrado como a tu* 20
*compañero. Harto me basta auer llorado al vno.
Porque has de saber que vino a mí una persona
e me dixo que le auías tú descubierto los amores
de Calisto e Melibea e cómo la auía alcançado e
cómo yuas cada noche a le acompañar e otras* 25
*muchas cosas, que no sabría relatar. Cata, ami-
go, que no guardar secreto es propio de las mugeres. No de todas, sino de las baxas e de los*

6 *Quien quiere a Beltrán, quiere a su can.*

niños. Cata que te puede venir gran daño. Que
para esto te dió Dios dos oydos e dos ojos e no
más de vna lengua, porque sea doblado lo que
vieres e oyeres que no el hablar. Cata no con-
5 *fíes que tu amigo te ha de tener secreto de lo*
que le dixeres, pues tú no le sabes a tí mismo
tener. Quando ouieres de yr con tu amo Calisto
a casa de aquella señora, no hagas bullicio, no te
sienta la tierra, que otros me dixeron que yuas
10 *cada noche dando bozes, como loco, de plazer.*

Sos.—*¡O cómo son sin tiento e personas des-*
acordadas las que tales nueuas, señora, te aca-
rrean! Quien te dixo que de mi boca lo hauía
oydo, no dize verdad. Los otros de verme yr
15 *con la luna de noche a dar agua a mis cauallos,*
holgando e auiendo plazer, diziendo cantares
por oluidar el trabajo e desechar enojo, y esto
antes de las diez, sospechan mal y de la sospe-
cha hazen certidumbre, affirman lo que barrun-
20 *tan. Sí, que no estaua Calisto loco, que a tal*
hora auía de yr a negocio de tanta affrenta
sin esperar que repose la gente, que descansen
todos en el dulçor del primer sueño. Ni menos
auía de yr cada noche, que aquel officio no çufre
25 *cotidiana visitación. Y si más clara quieres, se-*
ñora, ver su falsedad, como dizen, que toman
antes al mentiroso que al que coxquea, en vn mes

12 *Te acarrean*, te traen.
26 Corr., 447: *Más aína toman al mentiroso, que al cojo.*

*no auemos ydo ocho vezes, y dicen los falsarios
reboluedores que cada noche.*

AREU.—*Pues por mi vida, amor mío, porque
yo los acuse y tome en el lazo del falso testimo-
nio, me dexes en la memoria los días que aueys* 5
*concertado de salir e, si yerran, estaré segura
de tu secreto y cierta de su leuantar. Porque no
siendo su mensaje verdadero, será tu persona
segura de peligro e yo sin sobresalto de tu vida.
Pues tengo esperança de gozarme contigo largo* 10
tiempo.

SOS.—*Señora, no alarguemos los testigos.
Para esta noche en dando el relox las doze está
hecho el concierto de su visitación por el huerto.
Mañana preguntarás lo que han sabido, de lo* 15
*qual si alguno te diere señas, que me tresquilen
a mí a cruzes.*

AREU.—*¿E por qué parte, alma mía, porque
mejor los pueda contradezir, si anduuieren erra-
dos vacilando?*
20
SOS.—*Por la calle del vicario gordo, a las espaldas de su casa.*

ELIC.—*(Aparte. Escondida.)* *¡Tiénente, don
handrajoso! ¡No es más menester! Maldito sea*

---

16 *Tresquilar a cruces,* sin orden, cruzándose las tijera-
das, como se hacía con los blasfemos y judíos, *turpiter de-
calvari (Fuero Juzgo,* 12, 3, 2, etc.). *Quij.,* 2, 32: Que me
trasquilen a cruces.
23 *Tiénente,* ya estás cogido.

el que en manos de tal azemilero se confía!
¡Qué desgoznarse haze el badajo!

AREU.—*Hermano Sosia, esto hablado, basta*
para que tome cargo de saber tu innocencia e
5 *la maldad de tus aduersarios. Vete con Dios, que*
estoy ocupada en otro negocio y me he deteni-
do mucho contigo.

ELIC.—(Aparte.) *¡O sabia muger! ¡O despi-*
diente propio, qual le merece el asno que ha
10 *vaziado su secreto tan de ligero!*

SOS.—*Graciosa e suaue señora, perdóname si*
te he enojado con mi tardança. Mientra holga-
res con mi seruicio, jamás hallarás quien tan de
grado auenture en él su vida. E queden los án-
15 *geles contigo.*

AREU.—*Dios te guíe. ¡Allá yras, azemilero!*
¡Muy vfano vas por tu vida! Pues toma para
tu ojo, vellaco, e perdona, que te la doy de es-
paldas. ¿A quién digo? Hermana, sal acá. ¿Qué
20 *te parece, quál le embío? Assí sé yo tratar los*
tales, assí salen de mis manos los asnos, apalea-
dos como este e los locos corridos e los discre-
tos espantados e los deuotos alterados e los cas-
tos encendidos. Pues, prima, aprende, que otra
25 *arte es esta que la de Celestina; avnque ella me*

---

17 Demasiado descaro y brutalidad es la que pinta aquí
en esta mujer el corrector, que hasta él mismo vió exce-
derse cuando recuerda que Celestina la tenía por boba. De-
bía de haber supuesto que Celestina calaba harto más que él.

tenía por boua, porque me quería yo serlo. E
pues ya tenemos deste hecho sabido quanto
desseáuamos, deuemos yr a casa de aquellotro
cara de ahorcado que el jueues eché delante de
tí baldonado de mi casa, e haz tú como que nos 5
quieres fazer amigos e que rogaste que fuesse a
verlo.

AUCTO DECIMOOCTAVO

ARGUMENTO

DEL DÉCIMOOCTAUO AUCTO

Elicia determina de fazer las amistades entre Areusa e
5 *Centurio por precepto de Areusa e vanse a casa de Centu-*
rio, onde ellas le ruegan que aya de vengar las muertes en
Calisto e Melibea; el qual lo prometió delante dellas. El como
sea natural a éstos no hazer lo que prometen, escúsase como
en el proceso paresce.

10   CENTURIO, ELICIA, AREUSA

ELIC.—*¿Quién está en su casa?*

CENT.—*Mochacho, corre, verás quién osa en-*
trar sin llamar a la puerta. Torna, torna acá, que
ya he visto quién es. No te cubras con el man-
15 *to, señora: ya no te puedes esconder, que, quan-*
do ví adelante entrar a Elicia, ví que no podía
traer consigo mala compañía ni nueuas que me
pesassen, sino que me auían de dar plazer.

AREU.—*No entremos, por mi vida, más aden-*
20 *tro, que se estiende ya el vellaco, pensando que*
le vengo a rogar. Que más holgara con la vista
de otras como él, que con la nuestra. Boluamos,

*por Dios, que me fino en ver tan mal gesto.
¿Paréscete, hermana, que me traes por buenas
estaciones e que es cosa justa venir de bísperas
y entrarnos a uer vn desuellacaras que ay está?*

ELIC.—*Torna por mi amor, no te vayas; si no,* 5
en mis manos dexarás el medio manto.

CENT.—*Tenla, por Dios, señora, tenla no se te
suelte.*

ELIC.—*Marauillada estoy, prima, de tu buen
seso. ¿Quál hombre ay tan loco e fuera de ra-* 10
*zón que no huelgue de ser visitado, mayormen-
te de mugeres? Llégate acá, señor Centurio, que
en cargo de mi alma por fuerça haga que te
abraçe, que yo pagaré la fruta.*

AREU.—*Mejor lo vea yo en poder de justi-* 15
*cia e morir a manos de sus enemigos, que yo tal
gozo le dé. ¡Ya, ya hecho ha conmigo para
quanto biua! ¿E por quál carga de agua le tengo
de abraçar ni ver a esse enemigo? Porque le ro-
gué estotro día que fuesse vna jornada de aquí,* 20
en que me yua la vida e dixo de nó.

CENT.—*Mándame tú, señora, cosa que yo sepa*

1 *Me fino*, me muero, *Lazar.*, 1: Muchas veces me fina-
ra de hambre.

4 *Descuellacaras*. ZAMORA, *Mon.*, 7. *S. Felipe:* Un descuellacaras, que no se la han hecho cuando se venga un fan-
tástico, que no ha oído la mala palabra, cuando cruza la
cara a quien se la dijo. GALLO, *Job*, 16, 5. Si llega un desuellacaras con más pecados que un salteador.

22 *Mándame...* Esta pintura de Centurio sobrepuja en muchos codos al *Miles gloriosus*, de Plauto; pero, como veremos, es más exagerado e inverosímil el personaje.

*hazer, cosa que sea de mi officio. Vn desafío
con tres juntos e si más vinieren: que no huya
por tu amor. Matar vn hombre, cortar vna pier-
na o braço, harpar el gesto de alguna que se aya*
5 *ygualado contigo: estas tales cosas, antes serán
hechas que encomendadas. No me pidas que
ande camino ni que te dé dinero, que bien sabes
que no dura conmigo, que tres saltos daré sin
que me se cayga blanca. Ninguno da lo que no*
10 *tiene. En vna casa biuo qual vees, que rodará
el majadero por toda ella sin que tropiece. Las
alhajas que tengo es el axuar de la frontera, vn
jarro desbocado, vn assador sin punta. La cama
en que me acuesto está armada sobre aros de*
15 *broqueles, vn rimero de malla rota por colcho-
nes, vna talega de dados por almohada. Que,
avnque quiero dar collación, no tengo qué em-
peñar, sino esta capa harpada, que traygo
acuestas.*

20 ELIC.—*Assí goze, que sus razones me conten-
tan a marauilla. Como vn santo está obediente,
como ángel te habla, a toda razón se allega;*

---

4 *Harpar* es rajar, y dícese en tierra de Segovia de la
vajilla o vidrio que, sin romperse del todo, queda rajado;
aquí del hacer chirlos en la cara. *Lazar.*, 1: Me avia des-
calabrado y arpado la cara. *Lis Ros.*, 1, 5: Mira mi capa
arpada.

11 *Majadero*, la mano del almirez. J. ENC. (*Bibl. Ga-
llardo*, 2, 903): E mas dos morteros | con sus majaderos.

12 CORR., 76: *El ajuar de la frontera: dos estacas y una
estera.* (Por el poco ajuar de los presidios de soldados de
frontera) ; o *dos terrazas y una estera* (ídem).

¿qué más le pides? Por mi vida que le hables e pierdas enojo, pues tan de grado se te offresce con su persona.

CENT.—*¿Offrescer dizes, señora? Yo te juro por el sancto martilogio de pe a pa, el braço* 5 *me tiembla de lo que por ella entiendo hazer, que contino pienso cómo la tenga contenta e jamás acierto. La noche passada soñaua que hazía armas en vn desafío por su seruicio con quatro hombres, que ella bien conosce, e maté al vno.* 10 *E de los otros que huyeron, el que más sano se libró me dexó a los piés vn braço yzquierdo. Pues muy mejor lo haré despierto de día, quando alguno tocare en su chapín.*

AREU.—*Pues aquí te tengo, a tiempo somos.* 15 *Yo te perdono, con condición que me vengues de vn cauallero, que se llama Calisto, que nos ha enojado a mí e a mi prima.*

CENT.—*¡O! reñiego de la condición. Dime luego si está confessado.* 20

AREU.—*No seas tú cura de su ánima.*

---

5 *Martilogio*, por todos los Santos del martirologio. *De pe a pa.* CORR., 578: *De pe a pa.* (Decir las cosas claras.) Es deletrear la sílaba *pa:* pe + a = pa, la cual consiste en abrir bien la boca para afirmar y decir sí, que es lo que *ba, pa* significa en vascuence.

8 *Soñava*, el chiste es gracioso, y todo esto del Centurio está escrito donosamente.

19 *Reñiego de la condición*, las viejas lo dicen hoy así. Las bravatas de Centurio son tan exageradas como las que más.

CENT.—*Pues sea assí. Embiémosle a comer al infierno sin confessión.*

AREU.—*Escucha, no atajes mi razón. Esta noche lo tomarás.*

5 CENT.—*No me digas más, al cabo estoy. Todo el negocio de sus amores sé e los que por su causa ay muertos e lo que os tocaua a vosotras, por dónde va e a qué hora e con quién es. Pero dime, ¿quántos son los que le acompañan?*

10 AREU.—*Dos moços.*

CENT.—*Pequeña presa es essa, poco ceuo tiene ay mi espada. Mejor ceuara ella en otra parte esta noche, que estaua concertada.*

AREU.—*Por escusarte lo hazes. A otro perro 15 con esse huesso. No es para mí essa dilación. Aquí quiero ver si dezir e hazer si comen juntos a tu mesa.*

CENT.—*Si mi espada dixesse lo que haze, tiempo le faltaría para hablar. ¿Quién sino ella 20 puebla los más cimenterios? ¿Quién haze ricos los cirujanos desta tierra? ¿Quién da contino quehazer a los armeros? ¿Quién destroça la malla muy fina? ¿Quién haze riça de los broqueles de Barcelona? ¿Quién reuana los capa-25 cetes de Calatayud, sino ella? Que los caxque-*

---

12 *Cebar*, intransitivo, es usado.

14 S. BALLESTA: *A otro perro con ese hueso*, indicando que no nos engañará. *Quij.*, 1, 32. *Selvag.*, 164.

21 Todo esto es bufo a fuerza de exagerado.

*tes de Almazén assi los corta como si fuessen
hechos de melón. Veynte años há que me da de
comer. Por ella soy temido de hombres e querido de mugeres; sino de tí. Por ella le dieron
Centurio por nombre a mi abuelo e Centurio se* 5
llamó mi padre e Centurio me llamo yo.

ELIC.—*Pues ¿qué hizo el espada por que ganó
tu abuelo esse nombre? Dime, ¿por ventura fué
por ella capitán de cient hombres?*

CENT.—*No; pero fué rufián de cient mugeres.* 10

AREU.—*No curemos de linaje ni hazañas viejas. Si has de hazer lo que te digo, sin dilación
determina, porque nos queremos yr.*

CENT.—*Más desseo ya la noche por tenerte
contenta, que tú por verte vengada. E porque* 15
*más se haga todo a tu voluntad, escoge qué
muerte quieres que le dé. Allí te mostraré vn
reportorio en que ay sietecientas e setenta spe-
cies de muertes: verás quál más te agradare.*

ELIC.—*Areusa, por mi amor, que no se ponga* 20
*este fecho en manos de tan fiero hombre. Más
vale que se quede por hazer que no escandali-
zar la ciudad, por donde nos venga más daño de
lo passado.*

---

4 *Sino de ti,* excepto o menos de ti.

10 No es malo el chiste, sino muy irónico y precioso;
aunque no debiera ponerlo el corrector en boca de él, pues
hace y convierte en burlas todas sus bravosías.

18 *Reportorio* se decía. SAAV., *Rep.,* pl. 89: Los que ha-
cían reportorios a los libros.

Areu.—*Calla, hermana; díganos alguna, que
no sea de mucho bullicio.*

Cent.—*Las que agora estos días yo vso e más
traygo entre manos son espaldarazos sin sangre
o porradas de pomo de espada o reués mañoso;
a otros agujero como harnero a puñaladas, tajo
largo, estocada temerosa, tiro mortal. Algún día
doy palos por dexar holgar mi espada.*

Elic.—*No passe, por Dios, adelante; déle palos, porque quede castigado e no muerto.*

Cent.—*Juro por el cuerpo santo de la leta-
nía, no es más en mi braço derecho dar palos
sin matar que en el sol dexar de dar bueltas al
cielo.*

Areu.—*Hermana, no seamos nosotras lastimeras; haga lo que quisiere, mátele como se le
antojare. Llore Melibea como tú has hecho. De-
xémosle. Centurio, da buena cuenta de lo encomendado. De qualquier muerte holgarémos. Mira
que no se escape sin alguna paga de su yerro.*

Cent.—*Perdónele Dios, si por pies no se me
va. Muy alegre quedo, señora mía, que se ha
ofrecido caso, avnque pequeño, en que conozcas
lo que yo sé hazer por tu amor.*

Areu.—*Pues Dios te dé buena manderecha e
a él te encomiendo, que nos vamos.*

---

25 *Manderecha.* Corr., 588: *Buenamanderecha os dé
Dios.*

CENT.—*El te guíe e te dé más paciencia con los tuyos.*

CENT.—*Allá yrán estas putas atestadas de razones. Agora quiero pensar cómo me escusaré de lo prometido, de manera que piensen que puse diligencia con ánimo de executar lo dicho e no negligencia, por no me poner en peligro. Quiérome hazer doliente; pero, ¿qué aprouecha? Que no se apartarán de la demanda, quando sane. Pues si digo que fuí allá e que les hize huyr, pedirme han señas de quién eran e quántos yuan y en qué lugar los tomé e qué vestidos lleuauan; yo no las sabré dar. ¡Helo todo perdido! Pues ¿qué consejo tomaré, que cumpla con mi seguridad e su demanda? Quiero embiar a llamar a Traso, el coxo, e a sus dos compañeros e dezirles que, porque yo estoy ocupado esta noche en otro negocio, vaya a dar vn repiquete de broquel a*

---

16 Traso es el soldado fanfarrón, rival del joven Fedria, en el *Eunuco*, de Terencio, y el fanfarrón de Luciano en los *Diálogos de meretrices*. Vale fuerte, esforzado, θρασυς. Así como de *Elicia* salió otra tragicomedia, así de *Traso* hubo quien escribió un acto y lo metió en *La Celestina*. De igual manera que el corrector embutió todos estos actos del *Centurio*. Así pasó con los poemas cíclicos, atribuídos a Homero y compuestos sobre algunos de los personajes de *La Ilíada*. Véase la comedia de Plauto intitulada *Milite glorioso*, traducida en lengua castellana, Anvers M.D.L.V.

18 *Repiquete de broquel. Trag. Polic.*, 7: Al primer repiquete de broquel no me hallarás en toda la ciudad. J. PIN., *Agr.*, 20, 36: Cuya inteligencia se funda en "amigo de amigos y enemigo de enemigos y vivan los míos"; que era el

*manera de leuada, para oxear vnos garçones,
que me fué encomendado, que todo esto es passos
seguros e donde no consiguirán ningún daño,
más de fazerlos huyr e boluerse a dormir.*

repiquete de broquel del griego Temístocles, dechado de la
finísima y descomunal ambición.—Era meter ruido, repican-
do los broqueles con los pomos de las espadas o con las
hojas.

1 *Levada* es acción de hurtar. *Pic. Just.*, **2**, 2, 4, 2: El
muchacho era obediente e inclinado a estas levadas. Es, además, lance que, de una vez y sin intermisión, juegan los dos
que esgrimen. *Ruf. dich.*: Platiquemos | una levada buena.
Y acción de levantar airosamente la espada o lanza, dando
en el aire, y este parece ser el sentido del texto, esto es, jugar
de la espada para meter miedo. A. ALV., *Silv. dom. 3 cuar. 8 c.*
Esos aun con espadas en las manos que fuesen versátiles y
haciendo levadas a todas partes (los serafines puestos en el
paraíso para *ojear* a Adán y Eva).

1 *Oxear*, ahuyentar con el *¡ox!* SANDOV., *H. Carl. V*, 1,
37: Las galeras oxeaban a cañonazos los moros para des-
viarlos de la lengua del agua.

AUCTO DECIMONONO

ARGUMENTO

DEL DÉCIMONONO AUCTO

*Yendo Calisto con Sosia e Tristán al huerto de Pleberio
a visitar a Melibea, que lo estaua esperando e con ella Lucrecia, cuenta Sosia lo que le aconteció con Areusa. Estando
Calisto dentro del huerto con Melibea, viene Traso e otros
por mandado de Centurio a complir lo que auía prometido
a Areusa e a Elicia, a los quales sale Sosia; e oyendo Calisto
desde el huerto, onde estaua con Melibea, el ruydo que trayan,
quiso salir fuera; la qual salida fué causa que sus días pe-
resciessen, porque los tales este dón resciben por galardón e
por esto han de saber desamar los amadores.*

SOSIA, TRISTÁN, CALISTO, MELIBEA, LUCRECIA

SOS.—*Muy quedo, para que no seamos sentidos. Desde aquí al huerto de Plcberio te contaré, hermano Tristán, lo que con Areusa me
ha passado oy, que estoy el más alegre hombre
del mundo. Sabrás que ella, por las buenas nueuas que de mí auía oydo, estaua presa de mi
amor y embióme a Elicia, rogándome que la
visitasse. E dexando aparte otras razones de
buen consejo que passamos, mostró al presente*

ser tanto mía quanto algún tiempo fué de Pármeno. Rogóme que la visitasse siempre, que ella
pensaua gozar de mi amor por tiempo. Pero yo
te juro por el peligroso camino en que vamos,
5 hermano, e assí goze de mí, que estuue dos o
tres vezes por me arremeter a ella, sino que me
empachaua la vergüença de verla tan hermosa e
arreada e a mí con una capa vieja ratonada.
Echaua de sí en bulliendo vn olor de almizque;
10 yo hedía al estiércol que lleuaua dentro de los
çapatos. Tenía unas manos como la nieue, que
quando las sacaua de rato en rato de un guante
parecía que se derramaua azahar por casa. Assí
por esto, como porque tenía vn poco ella queha-
15 cer, se quedó mi atreuer para otro día. E avn
porque a la primera vista todas las cosas no son
bien tratables e quanto más se comunican mejor
se entienden en su participación.

TRIST.—*Sosia amigo, otro seso más maduro*
20 *y esperimentado, que no el mío, era necessario*
para darte consejo en este negocio; pero lo que
con mi tierna edad e mediano natural alcanço
al presente te diré. Esta muger es marcada ra-
mera, según tú me dixiste: quanto con ella te
25 *passó has de creer que no caresce de engaño.*
Sus offrecimientos fueron falsos e no sé yo
a qué fin. Porque amarte por gentilhombre

---

23 *Marcada*, de todos conocida y señalada por tal, de
marca, metáfora de las mercancías.

¿quántos más terná ella desechados? Si por rico,
bien sabe que no tienes más del poluo que se
te pega del almohaça. Si por hombre de linaje,
ya sabrá que te llaman Sosia, e a tu padre llamaron Sosia, nascido e criado en vna aldea, que- 5
brando terrones con vn arado, para lo qual eres
tú más dispuesto que para enamorado. Mira,
Sosia, e acuérdate bien si te quería sacar algún
punto del secreto deste camino que agora vamos,
para con que lo supiesse reboluer a Calisto e 10
Pleberio, de embidia del plazer de Melibea.
Cata que la embidia es vna incurable enfermedad donde assienta, huésped que fatiga la posada: en lugar de galardón, siempre goza del
mal ageno. Pues si esto es assí, ¡o cómo te quie- 15
re aquella maluada hembra engañar con su alto
nombre, del qual todas se arrean! Con su vicio
ponçoñoso quería condenar el ánima por complir
su apetito, reboluer tales casas para contentar
su dañada voluntad. ¡O arufianada, muger, e 20
con qué blanco pan te daua çaraças: Quería vender su cuerpo a trueco de contienda.
Oyeme e, si assí presumes que sea, ármale trato
doble, qual yo te diré: que quien engaña al en-

---

4 *Sosia*, por ser de esclavo este nombre entre los romanos; anacronismo que no tiene perdón de Dios.
21 *Çaraças*, pan con agujas dentro para matar perros.
23 *Trato doble.* CORR., 631; *Hacer trato doble.* (Por engaño y traición.)
24 Este refrán no lo hallo en ningún refranero y parece

*gañador... ya me entiendes. E si sabe mucho la
raposa, más el que la toma. Contramínale sus
malos pensamientos, escala sus ruyndades, quando más segura la tengas, e cantarás después en
5 tu establo: vno piensa el vayo e otro el que lo
ensilla.*

Sos.—*¡O Tristán, discreto mancebo! Mucho
más me has dicho que tu edad demanda. Astuta sospecha has remontado e creo que verda-
10 dera. Pero, porque ya llegamos al huerto e nuestro amo se nos acerca, dexemos este cuento, que
es muy largo, para otro día.*

CAL.—*Poned, moços, la escala e callad, que
me paresce que está hablando mi señora de den-*

---

ser el otro, acomodado mal que bien: *Quien hurta al ladrón,
cien días gana de perdón* (CORR., 348).

1 *Lis. Rosel.*, 3, 3: *Mucho sabe la raposa, pero más el
que la toma.*

5 *Uno piensa...*, refrán conocido.

9 *Remontarse*, alzarse, huirse al monte, o el ave en el
aire; *remontar*, ahuyentar, alzar. J. PIN., *Agr.*, 9, 1: Toma-
ron las armas que hallaron a mano en casa, y remontán-
dose a una isla... les acudieron muchos perdidos. LEÓN, *Bra-
zo:* Que ingenioso en remontar dificultades sobre lo que Dios
ordena.

14 Después de un mes entero de idas y venidas al jar-
dín de Pleberio, ni éste ni su mujer saben nada de los amores de su hija ni de la muerte de Celestina y de los dos mozos, y su causa, que son los mismos amores. Todo el pueblo lo
tiene ya olvidado y Pleberio no lo sabe. Por toda esta des-
cabellada enormidad pasa el corrector. Por eso el autor, tras
la muerte de aquéllos, pone el desenlace final, no sólo porque, muerta Celestina y logrado y gozado el amor, todo está

tro. *Sobiré encima de la pared y en ella estaré
escuchando, por ver si oyré alguna buena señal de mi amor en absencia.*

MELIB.—*Canta más, por mi vida, Lucrecia,
que me huelgo en oyrte, mientra viene aquél se-* 5
*ñor, e muy passo entre estas verduricas, que no
nos oyrán los que passaren.*

LUCR.   *¡O quién fuesse la ortelana
de aquestas viciosas flores,
por prender cada mañana* 10
al partir a tus amores!

*Vístanse nueuas collores
los lírios y el açucena;
derramen frescos olores,
quando entre por estrena.* 15

MELIB.—*¡O quán dulce me es oyrte! De gozo
me deshago. No cesses, por mi amor.*

---

concluído, sino porque la acción tenía que despeñarse en la
realidad y en el arte, si éste había de seguir a aquélla. Así
que esta visita es ya fría y fuera de propósito. Como que
es la última que puso el autor, interrumpida neciamente por
el corrector con los actos pasados.

4 Esto de cantar Lucrecia y Melibea para que se ente-
ren sus padres tiene mucha gracia. Lindísimos son los versos; pero *non erat hic locus*, "no había lugar para tales
cosas ahora", diría Horacio al corrector. Además, que no
es la noche para alabar a las flores y a las aves.

LUCR.   *Alegre es la fuente clara*
          a quien con gran sed la vea;
          mas muy más dulce es la cara
          de Calisto a Melibea.

5   *Pues, avnque más noche sea,*
          con su vista gozará.
          ¡O quando saltar le vea,
          qué de abraços le dará!

              Saltos de gozo infinitos
10   *da el lobo viendo ganado;*
          con las tetas los cabritos,
          Melibea con su amado.

              Nunca fué más desseado
          amado de su amiga,
15   *ni huerto más visitado,*
          ni noche más sin fatiga.

MELIB.—*Quanto dizes, amiga Lucrecia, se me*
representa delante, todo me parece que lo veo con
mis ojos. Procede, que a muy buen són lo dizes
20 *e ayudarte he yo.*

LUCR., MELIB.

              Dulces árboles sombrosos,
          humilláos quando veays
          aquellos ojos graciosos
25   *del que tanto desseays.*

> *Estrellas que relumbrays,*
> *norte e luzero del día,*
> *¿por qué no le despertays,*
> *si duerme mi alegría?*

MELIB.—*Óyeme tú, por mi vida, que yo quie-* 5
ro *cantar sola.*

> *Papagayos, ruyseñores,*
> *que cantays al aluorada,*
> *lleuad nueua a mis amores,*
> *como espero aquí asentada.* 10

> *La media noche es passada,*
> *e no viene.*
> *Sabedme si ay otra amada*
> *que lo detiene.*

CAL.—*Vencido me tiene el dulçor de tu suaue* 15
canto; no puedo más suffrir tu penado esperar.
¡O mi señora e mi bien todo! ¿Quál muger po-
día auer nascida, que despriuasse tu gran me-
recimiento? ¡O salteada melodía! ¡O gozoso
rato! ¡O coraçón mío! ¿E cómo no podiste más 20
tiempo sufrir sin interrumper tu gozo e com-
plir el desseo de entrambos?

---

18 *Desprivasse*, hiciese que sea más privado y primero.
LAG., *Diosc.*, 4, 27: Desprivan y dejan muchas millas atrás
los criados viejos. *Loz. and.*, 62: Mas Rampin despriva a
muchos buenos, que querían ser en su lugar.

MELIB.—¡O sabrosa trayción! ¡O dulce sobresalto! ¿Es mi señor de mi alma? ¿Es él? No lo
puedo creer. ¿Dónde estauas, luziente sol? ¿Donde me tenías tu claridad escondida? ¿Auía rato
⁵ que escuchauas? ¿Por qué me dexauas echar palabras sin seso al ayre, con mi ronca boz de cis-
ne? Todo se goza este huerto con tu venida. Mira
la luna quán clara se nos muestra, mira las nu-
ues cómo huyen. Oye la corriente agua desta fon-
¹⁰ tezica, ¡quánto más suaue murmurio su río lleua
por entre las frescas yeruas! Escucha los altos
cipreses, ¡cómo se dan paz unos ramos con otros
por intercession de vn templadico viento que los
menea! Mira sus quietas sombras, ¡quán escu-
¹⁵ ras están e aparejadas para encobrir nuestro
deleyte! Lucrecia, ¿qué sientes, amiga? ¿Tór-
naste loca de plazer? Déxamele, no me le des-
pedaces, no le trabajes sus miembros con tus
pesados abraços. Déxame gozar lo que es mío,
²⁰ no me ocupes mi plazer.

CAL.—Pues, señora e gloria mía, si mi vida

---

7 Hermosos sentimientos acerca de la naturaleza, que
parecen modernos.

16 *Nuestro deleyte.* Esto, y más lo que sigue, es un bo-
rrón en la pintura que el autor había hecho de Melibea. Lo
de que la moza abrace a Calisto y Melibea tenga que decir
semejantes frases es indigno de un dramaturgo.

21 Esto ya no es poesía, es glosar feamente algunas frases del autor en el auto XIV. Además que, después de un
mes, está tan fuera de su lugar como lo estaba bien la primera vez de tratarse para mostrar los virginales sentimientos de Melibea.

*quieres, no cesse tu suaue canto. No sea de peor
condición mi presencia, con que te alegras, que
mi absencia, que te fatiga.*

MELIB.—*¿Qué quieres que cante, amor mío?
¿Cómo cantaré, que tu desseo era el que regía* 5
*mi són e hazía sonar mi canto? Pues conseguida
tu venida, desaparecióse el desseo, destemplóse
el tono de mi boz. Y pues tú, señor, eres el dechado de cortesía e buena criança, ¿cómo mandas a mi lengua hablar e no a tus manos que* 10
*estén quedas? ¿Por qué no oluidas estas ma-
ñas? Mándalas estar sossegadas e dexar su enojoso vso e conuersación incomportable. Cata,
ángel mío, que assí como me es agradable tu
vista sossegada, me es enojoso tu riguroso tra-* 15
*to; tus honestas burlas me dan plazer, tus des-
honestas manos me fatigan quando passan de la
razón. Dexa estar mis ropas en su lugar e, si
quieres ver si es el hábito de encima de seda o
de paño, ¿para qué me tocas en la camisa? Pues* 20
*cierto es de lienço. Holguemos e burlemos de
otros mill modos que yo te mostraré; no me des-
troces ni maltrates como sueles. ¿Qué prouecho
te trae dañar mis vestiduras?*

CAL.—*Señora, el que quiere comer el aue, qui-* 25
ta primero las plumas.

LUCR.—(Aparte.) *Mala landre me mate si
más los escucho. ¿Vida es esta? ¡Que me esté
yo deshaziendo de dentera y ella esquiuándose
porque la rueguen! Ya, ya apaziguado es el* 30

ruydo: no ouieron menester despartidores. Pero
también me lo haría yo, si estos necios de sus
criados me fablassen entre día; pero esperan
que los tengo de yr a buscar.

5   MELIB.—*¿Señor mío, quieres que mande a Lu-*
crecia traer alguna colación?

CAL.—*No ay otra colación para mí sino te-*
ner tu cuerpo e belleza en mi poder. Comer e
beuer, donde quiera se da por dinero, en cada
10   *tiempo se puede auer e qualquiera lo puede al-*
cançar; pero lo no vendible, lo que en toda la
tierra no ay ygual que en este huerto, ¿cómo
mandas que se me passe ningún momento que
no goze?

15   LUCR.—(Aparte.) *Ya me duele a mí la cabe-*
ça d'escuchar e no a ellos de hablar ni los braços
de retoçar ni las bocas de besar. ¡Andar! ya
callan: a tres me parece que va la vencida.

CAL.—*Jamás querría, señora, que amane-*
20   *ciesse, según la gloria e descanso que mi sen-*
tido recibe de la noble conuersación de tus de-
licados miembros.

MELIB.—*Señor, yo soy la que gozo, yo la que*
gano; tú, señor, el que me hazes con tu visita-
25   *ción incomparable merced.*

---

18 A la *tercera va la vencida*, frase común, o, como trae
CORREAS, 181: *La tercera buena y valedera.* (En tiros y
caídas de luchas.) Quiere decir que valga y sea vencimiento
de tercera caída.

23 Ya no es esta la amable Melibea.

Sos.—¿Assí, vellacos, rufianes, veníades a asombrar a los que no os temen? Pues yo juro que si esperárades, que yo os hiziera yr como merecíades.

Cal.—Señora, Sosia es aquel que da bozes. 5
Déxame yr a valerle, no le maten, que no está sino un pajezico con él. Dame presto mi capa, que está debaxo de tí.

Melib.—¡O triste de mi ventura! No vayas allá sin tus coraças; tórnate a armar. 10

Cal.—Señora, lo que no haze espada e capa e coraçón, no lo fazen coraças e capaçete e couardía.

Sos.—¿Avn tornays? Esperadme. Quiçá venís por lana. 15

Cal.—Déxame, por Dios, señora, que puesta está el escala.

Melib.—¡O desdichada yo! e ¿cómo vas tan rezio e con tanta priessa e desarmado a meterte entre quien no conosces? Lucrecia, ven 20 presto acá, que es ydo Calisto a vn ruydo. Echémosle sus coraças por la pared, que se quedan acá.

---

14 Ir por lana y volver trasquilado (Corr.. 149).

TRIST.—*Tente, señor, no baxes, que ydos son;
que no era sino Traso el coxo e otros vellacos,
que passauan vozeando. Que ya se torna Sosia.
Tente, tente, señor, con las manos al escala.*

5   CAL.—¡O, válame Santa María! ¡Muerto soy!
¡Confessión!

TRIST.—*Llégate presto, Sosia, que el triste
de nuestro amo es caydo del escala e no habla
ni se bulle.*

10   SOS.—¡Señor, señor! ¡A essotra puerta! ¡Tan
muerto es como mi abuelo! ¡O gran desuen-
tura!

LUCR.—¡Escucha, escucha! ¡gran mal es este!

MELIB.—¿Qué es esto? ¿Qué oygo? ¡amarga
15 de mí!

TRIST.—¡O mi señor e mi bien muerto! ¡O
mi señor despeñado! ¡O triste muerte sin confessión! Coge, Sosia, essos sesos de essos cantos, júntalos con la cabeça del desdichado amo
20 nuestro. ¡O día de aziago! ¡O arrebatado fin!

---

10   COBR., 1: *A esotra puerta, que ésta no se abre.* (Cuando no responde un sordo u otros.)

13   Gracias a Dios, volvemos a la primitiva *Comedia*, y
el lector debe leer esto enhebrándolo con el auto XIV, donde
lo dejó el autor.

20   *Día de aziago*, día de ave mala, que es lo que *aciago*
vale, *auce* mala. BERC., *Sig.*, 26: Que por su abçe mala
vendió a su sennor. *Alex.*, 545: Aluctas en este comedio
buscaron abce mala.

MELIB.—¡O desconsolada de mí! ¿Qué es esto? ¿Qué puede ser tan áspero acontecimiento como oygo? Ayúdame a sobir, Lucrecia, por estas paredes, veré mi dolor; si no, hundiré con alaridos la casa de mi padre. ¡Mi bien e plazer, todo es ydo en humo! ¡Mi alegría es perdida! ¡Consumióse mi gloria!

LUCR.—Tristán, ¿qué dizes, mi amor? ¿qué es esso, que lloras tan sin mesura?

TRIST.—¡Lloro mi gran mal, lloro mis muchos dolores! Cayó mi señor Calisto del escala e es muerto. Su cabeça está en tres partes. Sin confessión pereció. Díselo a la triste e nueua amiga, que no espere más su penado amador. Toma tú, Sosia, dessos pies. Lleuemos el cuerpo de nuestro querido amo donde no padezca su honrra detrimento, avnque sea muerto en este lugar. Vaya con nosotros llanto, acompáñenos soledad, síganos desconsuelo, visítenos tristeza, cúbranos luto e dolorosa xerga.

MELIB.—¡O la más de las tristes triste! ¡Tan

---

6 A. PÉREZ: *Ceniza*, f. 18: Para que no se nos vaya en humo el fuego de nuestras virtudes.

10 Note el lector lo sentido y delicado que es todo esto y cuán de otro que lo pasado.

14 *Nueva amiga*, y lo era para el autor, no para el corrector.

21 ¡Dos frases maravillosas! ¡Y cuán dificultoso era hacer romper a hablar a la desdichada amante! El autor

tarde alcançado el plazer, tan presto venido el
dolor!

LUCR.—Señora, no rasgues tu cara ni meses
tus cabellos. ¡Agora en plazer, agora en tristeza! ¿Qué planeta houo, que tan presto contra-
rió su operación? ¡Qué poco coraçón es este!
Leuanta, por Dios, no seas hallada de tu padre
en tan sospechoso lugar, que serás sentida. Señora, señora, ¿no me oyes? No te amortezcas,
por Dios. Ten esfuerço para sofrir la pena, pues
touiste osadía para el plazer.

MELIB.—¿Oyes lo que aquellos moços van hablando? ¿Oyes sus tristes cantares? ¡Rezando
lleuan con responso mi bien todo! ¡Muerta lleuan mi alegría! ¡No es tiempo de yo biuir!
¿Cómo no gozé más del gozo? ¿Cómo tuue en
tan poco la gloria que entre mis manos toue?
¡O ingratos mortales! ¡Jamás conocés vuestros
bienes, sino quando dellos caresceys!

---

sentía como Jorge Manrique, y su elegía le reteñía en el
corazón:

"Quan presto se va el plazer,
Como despues de acordado
Da dolor."

15 En el romance de Leandro y Ero (M. PELAYO,
Antol., 9, p. 217): "¡Oh dioses! ¿y qué es aquesto? | Porqué
robais mi alegría?... | No quiero vivir sin ti, | que el vivir
muerte sería."

18 Este último epifonema es el quejido que brota de lo
más hondo del alma humana, por muchos expresado, pero
por nadie tan ceñidamente y en más cruel coyuntura. Es la
filosofía del placer de Schopenhauer. En *Remed.*, 2, 83: "No

Lucr.—Abíuate, abiua, que mayor mengua
será hallarte en el huerto que plazer sentiste
con la venida ni pena con ver que es muerto.
Entremos en la cámara, acostarte as. Llamaré
a tu padre e fingiremos otro mal, pues este no   5
es para poderse encobrir.

---

sé yo quáles me llamas tú alegres días. Los quales, quando
estavan presentes eran tristes y llenos de lloros; agora yo
no veo otra causa para que te parezcan alegres, sino averse
passado e porque no han de bolver acrecientan en sí la esti-
mación y en tí el desseo, aviendo llevado tras sí muchas
cosas, que por ventura eran de tí cordialmente amadas. Assí
que es la verdad que el loco ninguna cosa ama tanto como
lo que pierde." En *Los Cautivos*, 1, de Plauto: "Tum deni-
que homines nostra intellegimus bona. | Quom quæ in potesta-
te habuimus, ea amisimus."

EL VEYNTENO AUCTO

ARGUMENTO

DEL VEYNTENO AUTO

Lucrecia llama a la puerta de la cámara de Pleberio. Pre-
5 gúntale Pleberio lo que quiere. Lucrecia le da priessa que
vaya a uer a su hija Melibea. Leuantado Pleberio, va a la
cámara de Melibea. Consuélala, preguntando qué mal tiene.
Finge Melibea dolor de coraçón. Embía Melibea a su padre
por algunos instrumentos músicos. Sube ella e Lucrecia en
10 vna torre. Embía de sí a Lucrecia. Cierra tras ella la puerta.
Llégase su padre al pie de la torre. Descúbrele Melibea todo
el negocio que hauía passado. En fin, déxase caer de la
torre abaxo.

PLEBERIO, LUCRECIA, MELIBEA

15   PLEB.—¿Qué quieres, Lucrecia? ¿Qué quieres tan presurosa? ¿Qué pides con tanta importunidad e poco sosiego? ¿Qué es lo que mi hija
ha sentido? ¿Qué mal tan arrebatado puede ser,
que no aya yo tiempo de me vestir ni me dés avn
20 espacio a me leuantar?

LUCR.—Señor, apresúrate mucho, si la quie-

---

1 En *B* este argumento es del *Quinzeno auto.*

res ver viua, que ni su mal conozco de fuerte
ni a ella ya de desfigurada.

PLEB.—*Vamos presto, anda allá, entra ade-*
lante, alça essa antepuerta e abre bien essa ven-
tana, porque le pueda ver el gesto con claridad. 5
¿Qué es esto, hija mía? ¿ Qué dolor e sentimiento es el tuyo? ¿Qué nouedad es esta? ¿Qué poco
esfuerço es este? Mírame, que soy tu padre. Fabla comigo, cuéntame la causa de tu arrebatada
pena. ¿Qué has? ¿Qué sientes? ¿Qué quieres? 10
Háblame, mírame, dime la razón de tu dolor,
porque presto sea remediado. No quieras em-
biarme con triste postrimería al sepulcro. Ya
sabes que no tengo otro bien sino a tí. Abre
essos alegres ojos e mírame. 15

MELIB.—¡Ay dolor!

PLEB.—¿Qué dolor puede ser, que yguale
con ver yo el tuyo? Tu madre está sin seso en
oyr tu mal. No pudo venir a verte de turbada.
Esfuerça tu fuerça, abiua tu coraçón, arréziate 20
de manera que puedas tú comigo yr a visitar
a ella. Dime, ánima mía, la causa de tu sentimiento.

MELIB.—¡Pereció mi remedio!

PLEB.—Hija, mi bienamada e querida del vie- 25

---

3 Este pegote del corrector es una impertinencia, que
corta la viva expresión de sentimiento, que el drama viene
amontonando.

16 Nótese lo poco y lo muy a propósito que habla Melibea.

jo padre, por Dios, no te ponga desesperación
el cruel tormento desta tu enfermedad e passión,
que a los flacos coraçones el dolor los arguye.
Si tú me cuentas tu mal, luego será remediado.
5 Que ni faltarán medicinas ni médicos ni siruientes para buscar tu salud, agora consista en yeruas o en piedras o en palabras o esté secreta en
cuerpos de animales. Pues no me fatigues más,
no me atormentes, no me hagas salir de mi seso
10 e dime ¿qué sientes?

MELIB.—Vna mortal llaga en medio del coraçón, que no me consiente hablar. No es ygual
a los otros males; menester es sacarle para ser
curada, que está en lo más secreto dél.

15 PLEB.—Temprano cobraste los sentimientos
de la vegez. La moçedad toda suele ser plazer e
alegría, enemiga de enojo. Levántate de ay. Vamos a uer los frescos ayres de la ribera: ale-
grarte has con tu madre, descansará tu pena.
20 Cata, si huyes de plazer, no hay cosa más contraria a tu mal.

MELIB.—Vamos donde mandares. Subamos,

---

3 *A los flacos*, de Virgilio (*Aeneid.*, 4, 13): "Degene-
res animos timor arguit."

7 Alude a las medicinas, a las virtudes de las piedras
y a los ensalmos, esto es: a todos los medios de médicos y
curanderas.

22 Melibea ha tomado su determinación. Sus pocas palabras son de una desesperación fría y terrible, agoreras de
triste desenlace. Lo de los *navíos*, que ha dado que discurrir
sobre si la escena pasase en Sevilla, no es para mí otra cosa
sino que el autor tenía en su fantasía la leyenda de *Hero y*

señor, al açotea alta, porque desde allí goze de
la deleytosa vista de los nauíos: por ventura
afloxará algo mi congoxa.

PLEB.—Subamos e Lucrecia con nosotros.

MELIB.—Mas, si a tí plazerá, padre mío, man- 5
dar traer algún instrumento de cuerdas con que
se sufra mi dolor o tañiendo o cantando, de manera que, avnque aquexe por vna parte la fuerça de su acidente, mitigarlo han por otra los
dulces sones e alegre armonía. 10

PLEB.—Esso, hija mía, luego es hecho. Yo lo
voy a mandar aparejar.

MELIB.—Lucrecia, amiga mía, muy alto es
esto. Ya me pesa por dexar la compañía de mi
padre. Baxa a él e dile que se pare al pie desta 15
torre, que le quiero dezir vna palabra que se
me oluidó que fablasse a mi madre.

LUCR.—Ya voy, señora.

MELIB.—De todos soy dexada. Bien se ha
adereçado la manera de mi morir. Algún aliuio 20
siento en ver que tan presto seremos juntos

Leandro, cuyas ediciones de Venecia y Florencia, de 1494 y
1495, pudo leer, y cuyo modo de suicidarse despeñándose desde la torre al mar va a imitar:

"Desde los pechos rasga el rico manto,
y al mar se lanza desde la alta torre.
Así murió por su difunto esposo
y hasta en la misma muerte se gozaron."

(CONDE, *Poes. Safo, Meleagro,* etc., 1797, p. 133.)

yo e aquel mi querido amado Calisto. Quiero cerrar la puerta, porque ninguno suba a me estoruar mi muerte. No me impidan la partida, no me
atajen el camino, por el qual en breue tiempo
5 podré visitar en este día al que me visitó la passada noche. Todo se ha hecho a mi voluntad.
Buen tiempo terné para contar a Pleberio mi señor la causa de mi ya acordado fin. Gran sinrazón hago a sus canas, gran ofensa a su vegez.
10 Gran fatiga le acarreo con mi falta. En gran soledad le dexo. *Y caso que por mi morir a mis*

---

11 *Y caso que.* El mismo procedimiento de hacerse re-
flexiones históricas que hemos visto añadir al corrector en
otros lugares. Pero aquí la inoportunidad sube de punto. Lo
estrambótico de poner en labios de una doncella tan hondas
erudiciones, es nada en comparación con el efecto artístico
que aquí hace contando los sinceros y trágicos sentimientos
del momento más agudo del drama. La que sabía de *Mirra,
Canace* y *Pasiphe* (auto XVI) bien podía saber de *Bursia,*
del Rey de *Macedonia* y de la Reina de *Capadocia.* Erudición tenía el autor, pero se la comunicaba a Calisto y nunca
a destiempo. Esto no es erudición, que el corrector comuni-
que a una doncella momentos antes de suicidarse; es una
invención de algún famoso médico, para evitar el suicidio
al desesperado, pero que no habrá hombre de sano juicio que
se la atribuya al autor de la primitiva *Comedia.* Hay cosas
que rebosan los linderos de lo verisímil y hay principios es-
téticos para juzgar de autores y escritos que no han menester más testimonios. Este pegote se basta para dar por apó-
crifo todo lo añadido a la primitiva *Comedia.* El pasaje es
de Petrarca, *De Remed.*, trad. FERNÁNDEZ, 1, 5, 3: "Amados
digo que son los padres; mas dime, ¿Júpiter no echó del reyno
a su padre Saturno? Y Nicomedes no mató a su padre Prusia,
rey de Bithinia, porque tratava de matarle, y Ptolomeo, que
por esto se llamó Philopater, no rijo assi el reyno de Egypto
por consejo de sus concubinas después que ovo muerto a su

queridos padres sus días se diminuyessen, ¿quién
dubda que no aya auido otros más crueles con-
tra sus padres? Bursia, rey de Bitinia, sin nin-
guna razón, no aquexándole pena como a mí,
mató su propio padre. Tolomeo, rey de Egypto, 5
a su padre e madre e hermanos e muger, por
gozar de vna manceba. Orestes a su madre Clis-
tenestra. El cruel emperador Nero a su madre
Agripina por solo su plazer hizo matar. Estos
son dignos de culpa, estos son verdaderos parri- 10
cidas, que no yo; que con mi pena, con mi muer-
te purgo la culpa que de su dolor se me puede

padre, madre y hermano e a la postre a su muger Euridice,
que ninguna cosa le quedó propria en él sino el nombre des-
nudo de rey, e por ventura Horestes no mato a Clitemnestra
su madre y Neron a Agripina y Antipatro a Thesalonice?
Amados son también los fijos, mas Theseo no mató a Hipolito
su castissimo hijo, y Philippo, rey de Macedonia, no mandó
matar a su buen hijo Demetrio y el otro Ptolomeo, contrario
a toda piedad e religion, suzio rey tambien de Egypto, no
mató dos hijos suyos, y Herodes, rey de Judea, uno, y Cons-
tancio, emperador de Romanos, no mató también a su hijo
Crisipo, e Malco, duque de los Cartaginenses no crucificó a
su hijo Cartalon? Pues si digo de las madres, cuyo amor es
más entrañable y de natura más piadosas, quántas fueron
crueles a sus hijos? Conocida es de todos Medea. Pues qué
diré de Leodice, reyna de Capadocia, que por codicia de
reynar mató a cinco hijos suyos? Digo que son amados los
padres e los hijos e los hermanos e tórnolo a repetir; mas
porque en un exemplo encierre toda la cruelldad oye. Phraates,
rey de los Parthos, el más perverso de todos los reyes y el
más endiablado, no con codicia, mas con ravia de reynar,
mató a Orodes, su viejo e afligido padre, e juntamente con
él treynta hermanos suyos, hijos de aqueste mismo, e porque
ninguno quedasse sino él, que pudiesse reynar en Parthia,
mató también a su mismo hijo."

poner. Otros muchos crueles ouo, que mataron hijos e hermanos, debaxo de cuyos yerros el mío no parescerá grande. Philipo, rey de Macedonia; Herodes, rey de Judea; Constantino, emperador de Roma; Laodice, reyna de Capadocia, e Medea, la nigromantesa. Todos estos mataron hijos queridos e amados, sin ninguna razón, quedando sus personas a saluo. Finalmente, me ocurre aquella gran crueldad de Phrates, rey de los Parthos, que, porque no quedasse sucessor después dél, mató a Orode, su viejo padre, e a su vnico hijo e treynta hermanos suyos. Estos fueron delictos dignos de culpable culpa, que, guardando sus personas de peligro, matauan sus mayores e descendientes e hermanos. Verdad es que, avnque todo esto assí sea, no auía de remedarlos en lo que malhizieron; pero no es más en mi mano. Tú, Señor, que de mi habla eres testigo, ves mi poco poder, ves quán catiua tengo mi libertad, quán presos mis sentidos de tan poderoso amor del muerto cauallero, que priua al que tengo con los viuos padres.

PLEB.—Hija mía Melibea, ¿qué hazes sola? ¿Qué es tu voluntad dezirme? ¿Quieres que suba allá?

MELIB.—Padre mío, no pugnes ni trabajes por venir adonde yo estó, que estoruaras la presente habla que te quiero fazer. Lastimado serás breuemente con la muerte de tu vnica fija.

Mi fin es llegado, llegado es mi descanso e tu passión, llegado es mi aliuio e tu pena, llegada es mi acompañada hora e tu tiempo de soledad. No haurás, honrrado padre, menester instrumentos para aplacar mi dolor, sino campanas 5 para sepultar mi cuerpo. Si me escuchas sin lágrimas, oyrás la causa desesperada de mi forçada e alegre partida. No la interrumpas con lloro ni palabras; si no, quedarás más quexoso en no saber por qué me mato, que doloroso por 10 verme muerta. Ninguna cosa me preguntes ni respondas, más de lo que de mi grado dezirte quisiere. Porque, quando el coraçón está embargado de passión, están cerrados los oydos al consejo e en tal tiempo las frutuosas palabras, 15 en lugar de amansar, acrecientan la saña. Oye, padre mío, mis vltimas palabras e, si como yo espero, las recibes, no culparás mi yerro. Bien vees e oyes este triste e doloroso sentimiento que toda la ciudad haze. Bien vees este clamor 20 de campanas, este alarido de gentes, este aullido de canes, este grande estrépito de armas. De todo esto fuy yo la causa. Yo cobrí de luto e xergas en este día quasi la mayor parte de la cibdadana cauallería, yo dexé oy muchos sir- 25 uientes descubiertos de señor, yo quité mu-

---

20 *Clamar* dícese todavía y *clamorear* al doblar de las campanas por un difunto.

chas raciones e limosnas a pobres e enuergonçantes, yo fuy ocasión que los muertos touiessen
compañía del más acabado hombre que en gracia
nasció, yo quité a los viuos el dechado de gentile-
5 za, de inuenciones galanas, de atauíos e brodaduras, de habla, de andar, de cortesía, de virtud; yo
fuy causa que la tierra goze sin tiempo el más
noble cuerpo e más fresca juuentud, que al mundo era en nuestra edad criada. E porque estarás
10 espantado con el són de mis no acostumbrados
delitos, te quiero más aclarar el hecho. Muchos
días son passados, padre mío, que penaua por
amor vn cauallero, que se llamaua Calisto, el
qual tú bien conosciste. Conosciste assimismo
15 sus padres e claro linaje: sus virtudes e bondad
a todos eran manifiestas. Era tanta su pena de
amor e tan poco el lugar para hablarme, que
descubrió su passión a vna astuta e sagaz muger, que llamauan Celestina. La qual, de su par-
20 te venida a mí, sacó mi secreto amor de mi
pecho. Descubría a ella lo que a mi querida madre encobría. Touo manera cómo ganó mi querer, ordenó cómo su desseo e el mío houiessen
efeto. Si él mucho me amaua, no viuía engaña-
25 do. Concertó el triste concierto de la dulce e

---

1 *Enuergonçantes,* como vergonzantes, pobres que no se
atreven a pedir en público. QUEV., *rom.* 76: Mujer moza
es mucho gasto | para envergonzante lindo. *Píc. Just.,*
2, 2, 4. 3: La ramera envergonzante.
5 *Brodaduras,* metátesis vulgar por *bordaduras.*

desdichada execución de su voluntad. Vencida
de su amor, díle entrada en tu casa. Quebrantó
con escalas las paredes de tu huerto, quebrantó
mi propósito. Perdí mi virginidad. *Del qual de-*
leytoso yerro de amor gozamos quasi vn mes. 5
E como esta passada noche viniesse, según era
acostumbrado, a la buelta de su venida, como de
la fortuna mudable estouiesse dispuesto e ordenado, según su desordenada costumbre, como
las paredes eran altas, la noche escura, la escala 10
delgada, los siruientes que traya no diestros en
aquel género de seruicio *e él baxaua pressuroso*
a uer un ruydo que con sus criados sonaua en
la calle, con el gran ímpetu que leuaua, no vido
bien los pasos, puso el pie en vazío e cayó. De 15
la triste cayda sus más escondidos sesos quedaron repartidos por las piedras e paredes. Cortaron las hadas sus hilos, cortáronle sin confessión
su vida, cortaron mi esperança, cortaron mi gloria, cortaron mi compañía. Pues ¿qué crueldad 20
sería, padre mío, muriendo él despeñado, que
viuiese yo penada? Su muerte combida a la mía,
combídame e fuerça que sea presto, sin dilación, muéstrame que ha de ser despeñada por
seguille en todo. No digan por mí: a muertos e 25
a ydos... E assí contentarle he en la muerte,
pues no tuue tiempo en la vida. ¡O mi amor e

---

25 CORR., 22: *A muertos y a idos, pocos amigos.*

señor Calisto! Espérame, ya voy; detente, si me
esperas; no me incuses la tardança que hago,
dando esta vltima cuenta a mi viejo padre, pues
le deuo mucho más. ¡O padre mío muy amado!
5 Ruégote, si amor en esta passada e penosa vida
me has tenido, que sean juntas nuestras sepul-
turas: juntas nos hagan nuestras obsequias. Algunas consolatorias palabras te diría antes de
mi agradable fin, coligidas e sacadas de aquellos
10 antiguos libros que tú, por más aclarar mi ingenio, me mandauas leer; sino que ya la dañada
memoria con la grand turbación me las ha perdido e avn porque veo tus lágrimas malsofridas
decir por tu arrugada haz. Salúdame a mi cara
15 e amada madre: sepa de tí largamente la triste
razón porque muero. ¡Gran plazer lleuo de no la
ver presente! Toma, padre viejo, los dones de
tu vegez. Que en largos días largas se sufren
tristezas. Rescibe las arras de tu senectud anti-
20 gua, rescibe allá tu amada hija. Gran dolor lleuo
de mí, mayor de tí, muy mayor de mi vieja madre. Dios quede contigo e con ella. A él ofrezco

---

6   De Ovidio, *Metam.*, 4, 55-165:

   "Ut quos certus amor, quos hora novissima iunxit
   Componi tumulo non invideatis eodem."

7   *Obsequias* se decía por exequias.
14   *Decir*, bajar, de *deci(d)er(e)* (Hita, mi edic.).

mi ánima. Pon tú en cobro este cuerpo, que allí baxa.

2 Este desenlace, imitación de *Hero y Leandro*, es extraño en la literatura castellana, tan llena de las creencias cristianas, y no basta para explicarlo la lectura que tuviese de la gentilidad el autor de la *Comedia*. Pero queda uno satisfecho al saber que el autor era judío converso. En efecto, es tan honda la diferencia entre los sentimientos judaicos y cristianos, que por maravilla será buen cristiano el que se crió judío. Lo poco fervoroso de la cristiandad del autor se rezuma en toda la primitiva *Celestina*. El lector hecho a leer literatura castellana cree leer una obra gentílica. El desenlace no podía, a la verdad, ser otro para ser trágico y apasionado; pero un cristiano rancio de la antigua España dudo que ni siquiera le hubiera ocurrido tal fin.

VEYNTE E UN AUCTO

ARGUMENTO

DEL VEYNTE E VN AUTO

Pleberio, tornado a su cámara con grandíssimo llanto, pre-
5 guntale Alisa su muger la causa de tan súpito mal. Cuéntale
la muerte de su hija Melibea, mostrándole el cuerpo della todo
hecho pedaços e haziendo su planto concluye.

PLEBERIO, ALISA

ALI.—¿Qué es esto, señor Pleberio? ¿Por qué
10 son tus fuertes alaridos? Sin seso estaua ador-
mida del pesar que oue quando oy dezir que
sentía dolor nuestra hija; agora oyendo tus gemidos, tus vozes tan altas, tus quexas no acos-
tumbradas, tu llanto e congoxa de tanto sentī-
15 miento, en tal manera penetraron mis entrañas,
en tal manera traspasaron mi coraçón, assí abi-
uaron mis turbados sentidos, que el ya rescibido
pesar alançé de mí. Vn dolor sacó otro, vn sentimiento otro. Dime la causa de tus quexas.
20 ¿Por qué maldizes tu honrrada vegez? ¿Por qué

---

18 *Un dolor.* CORR., 161: *Un amor saca a otro.* (Como
un clavo saca otro clavo.)

pides la muerte? ¿Por qué arrancas tus blancos cabellos? ¿Por qué hieres tu honrrada cara? ¿Es algún mal de Melibea? Por Dios, que me lo digas, porque si ella pena, no quiero yo viuir.

PLEB.—¡Ay, ay, noble muger! Nuestro gozo 5 en el pozo. Nuestro bien todo es perdido. ¡No queramos más biuir! E porque el incogitado dolor te dé más pena, todo junto sin pensarle, porque más presto vayas al sepulcro, porque no llore yo solo la pérdida dolorida de entramos, ves allí 10 a la que tú pariste e yo engendré, hecha pedaços. La causa supe della; más la he sabido por estenso desta su triste siruienta. Ayúdame a llorar nuestra llagada postremería. ¡O gentes, que venís a mi dolor! ¡O amigos e señores, ayu- 15 dáme a sentir mi pena! ¡O mi hija e mi bien todo! Crueldad sería que viua yo sobre tí. Más

---

5 CORR., 239: *Nuestro gozo en el pozo;* varíase: *mi gozo en el pozo, su gozo en el pozo.* Idem, 464: *Mi gozo en pozo; nuestro gozo en pozo.* (Cuando no sale bien alguna traza o queda burlada la esperanza; puédese variar más.)

7 *Incogitado,* latinismo, no pensado.

17 El autor se acuerda aquí de la lamentación de la madre de Leriano al final de la *Cárcel de Amor*: "¡O muerte, cruel enemiga, que ni perdonas los culpados ni asuelves los inocentes... *Más razón avía para que conservases los veynte años del hijo moço, que para que deseases los sesenta de la vieja madre.* Porqué volviste el derecho al revés? Yo estava harta de estar viva y él en edad de bevir." Publicóse el 1492 y fué escrita después del 1465 por Diego de San Pedro. Pero allí el estilo es más cortesano, rebuscado y repulido; aquí hay más brío, mayor naturalidad con algo de la manera vehemente y ampulosa de la *Fiammetta* de Boccaccio (*Opere Vulgari di Giovanni Boccaccio,* Florencia, 1829, t. 6, p. 181).

dignos eran mis sesenta años, de la sepultura,
que tus veynte. Turbóse la orden del morir con
la tristeza que te aquexaua. ¡O mis canas, sali-
das para auer pesar! Mejor gozara de vosotras
5 la tierra que de aquellos ruuios cabellos que
presentes veo. Fuertes días me sobran para viuir; ¿quexarme he de la muerte? ¿Incusarle he
su dilación? Quanto tiempo me dexare solo después de tí, fálteme la vida, pues me faltó tu
10 agradable compañía. ¡O muger mía! Leuántate
de sobre ella e, si alguna vida te queda, gástala
comigo en tristes gemidos, en quebrantamiento
e sospirar. E si por caso tu espíritu reposa con
el suyo, si ya has dexado esta vida de dolor,
15 ¿por qué quesiste que lo passe yo todo? En esto
tenés ventaja las hembras a los varones, que puede vn gran dolor sacaros del mundo sin lo sentir o a lo menos perdeys el sentido, que es parte
de descanso. ¡O duro coraçón de padre! ¿Cómo
20 no te quiebras de dolor, que ya quedas sin tu
amada heredera? ¿Para quien edifiqué torres?
¿Para quién adquirí honrras? ¿Para quién plan-
té árboles? ¿Para quién fabriqué nauíos? ¡O
tierra dura! ¿cómo me sostienes? ¿Adónde ha-
25 llará abrigo mi desconsolada vegez? ¡O fortuna
variable, ministra e mayordoma de los temporales bienes!, ¿por qué no executaste tu cruel

---

21 Imitado de Petrarca, *De Remed.*, 1, 90, aunque más
brevemente por no ser prolijo.

yra, tus mudables ondas, en aquello que a tí es
subjeto? ¿Por qué no destruyste mi patrimonio?
¿Por qué no quemaste mi morada? ¿Por qué no
asolaste mis grandes heredamientos? Dexáras-
me aquella florida planta, en quien tú poder no 5
tenías; diérasme, fortuna flutuosa, triste la mocedad con vegez alegre, no peruertieras la orden. Mejor sufriera persecuciones de tus engaños en la rezia e robusta edad, que no en la flaca
postremería. 10

¡O vida de congoxas llena, de miserias acompañada! ¡O mundo, mundo! Muchos mucho de
tí dixeron, muchos en tus qualidades metieron la
mano, a diuersas cosas por oydas te compara-
ron; yo por triste esperiencia lo contaré, como 15
a quien las ventas e compras de tu engañosa feria no prósperamente sucedieron, como aquel
que mucho ha fasta agora callado tus falsas
propiedades, por no encender con odio tu yra,
porque no me secasses sin tiempo esta flor que 20
este dia echaste de tu poder. Pues agora sin temor, como quien no tiene qué perder, como aquel
a quien tu compañía es ya enojosa, como caminante pobre, que sin temor de los crueles sal-

---

16 CORR., 327: *Cada uno dice de la feria, como le va
en ella.*

23 *Como caminante pobre,* de Juvenal (SATJE., 10, 22):
"Cantabit vacuus coram latrone viator." *Remed.,* 2, 9: "Assí
serás más humilde, más desembaraçado e más libre que solía.
Los que caminan por fragoso camino siempre procuran de yr
vazíos."

teadores va cantando en alta boz. Yo pensaua
en mi más tierna edad que eras y eran tus hechos regidos por alguna orden; agora, visto el
pró e la contra de tus bienandanças, me pareces
5 vn laberinto de errores, vn desierto espantable,
vna morada de fieras, juego de hombres que andan en corro, laguna llena de cieno, región llena
de espinas, monte alto, campo pedregoso, prado
lleno de serpientes, huerto florido e sin fruto,
10 fuente de cuydados, río de lágrimas, mar de miserias, trabajo sin prouecho, dulce ponçoña, vana

---

2 La frase está tomada del Petrarca (*Remed.*, 2, 48),
del mismo diálogo del cual va luego a tomar los ejemplos
de Paulo Emilio, Pericles, etc. "Ciertamente como quiera que
en muchas cosas de la vida de los hombres sea sin orden,
mucho menos la ay en la muerte." También la puso el mismo
Petrarca en el libro I, *Contra Medicum quemdam invectiva-
rum*. Si el corrector fuera el autor, de seguro hubiera puesto
aquí ideas y aun frases de las coplas del *Laberinto* contra la
Fortuna (c. 7 y sig.), que le venían muy a cuento, ya que el
corrector tanto tomó de Mena.

5 *Me pareces un laberinto de errores.* Tomado de las
Cartas familiares del Petrarca (8, 8): "Videtur mihi
vita haec dura quaedam arca laborum, palaestra discri-
minum, scoena fallaciarum, *labyrinthus errorum, circulato-
rum ludus, desertum horribile, limosa palus, senticulosa
regio*, vallis hispida, *mons praeruptus*, caligantes speluncae,
cae, *habitatio ferarum*, terra infoelix, *campus lapidosus*, ve-
pricosum nemus, *pratum* herbidum, *plenumque serpentibus,
florens hortus ac sterilis, fons curarum, fluvius lachrymarum, mare miseriarum*, quies anxia, *labor inefficax*, conatus
irritus, grata phrenesis, pondus infaustum, *dulce virus*, dege-
ner metus, inconsulta securitas, *vana spes*, ficta fabulosa,
falsa laetitia, verus dolor..." Y prosigue todavía más largamente el Petrarca.

esperança, falsa alegría, verdadero dolor. Céuasnos, mundo falso, con el manjar de tus deleytes; al mejor sabor nos descubres el anzuelo: no lo podemos huyr, que nos tiene ya caçadas las voluntades. Prometes mucho, nada no cumples; échasnos de tí, porque no te podamos pedir que mantengas tus vanos prometimientos. Corremos por los prados de tus viciosos vicios, muy descuydados, a rienda suelta; descúbresnos la celada, quando ya no ay lugar de boluer. Muchos te dexaron con temor de tu arrebatado dexar: bienauenturados se llamarán, quando vean el galardón que a este triste viejo as dado en pago de tan largo seruicio. Quiébrasnos el ojo e vntasnos con consuelos el caxco. Hazes mal a todos, porque ningún triste se halle solo en ninguna aduersidad, diziendo que es aliuio a los míseros, como yo, tener compañeros en la pena. Pues desconsolado viejo, ¡qué solo estoy!

Yo fui lastimado sin hauer ygual compañero de semejante dolor; avnque más en mi fatigada

---

1 *Cévasnos.* Aquí y en lo que luego viene de *corremos por los prados* parece tenía presente el autor lo del Petrarca, *De Remed.*, 1, 90, trad. Francisco Madrid: "Entre la liga y las redes buela el ave segura y burla el pez entre los anzuelos y entre los ballesteros la fiera. Muchas vezes donde ay más peligro ay menos miedo. Maña es de la fortuna quitar el miedo para herir más a su voluntad."

14 *Quiebrasnos.* En R. COTA, *Dial.*, dice el viejo al Amor: Robador fiero sin asco, | ladrón de dulce despojo, | bien sabes quebrar el ojo | y después untar el casco.

memoria rebueluo presentes e passados. Que si
aquella seueridad e paciencia de Paulo Emilio
me viniere a consolar con pérdida de dos hijos
muertos en siete días, diziendo que su animosi-
5 dad obró que consolase él al pueblo romano e
no el pueblo a él, no me satisfaze, que otros dos
le quedauan dados en adobción. ¿Qué compañía
me ternán en mi dolor aquel Pericles, capitán
ateniense, ni el fuerte Xenofón, pues sus pérdi-
10 das fueron de hijos absentes de sus tierras? Ni
fué mucho no mudar su frente e tenerla serena
e el otro responder al mensajero, que las tristes albricias de la muerte de su hijo le venía a
pedir, que no recibiesse él pena, que él no sentía
15 pesar. Que todo esto bien diferente es a mi mal.

Pues menos podrás dezir, mundo lleno de ma-

---

2 *Que si aquella severidad...* Tomado de las *Epístolas
familiares* del Petrarca (Florentiae, 1859, l. 2, ep. 1): "Et
tamen, ut intelligas quorum ego te numeris adscribo... *Aemi-
lius Paulus*, vir amplissimus et suae aetatis ac patriae sum-
mum decus, ex quatuor filiis praeclarissimae indolis, *duos
extra familiam in adoptionem aliis dando, ipse sibi abstulit:
duos reliquos intra septem dierum spatium mors rapuit.*"
(Aquí Rojas le dió otro sentido a su propósito, pues lo que el
Petrarca propiamente dice no es que a Paulo Emilio le que-
dasen dos hijos dados en adopción, sino, al contrario, que los
perdió para su familia por habérselos dado en adopción a
extraños.) "Ipse tamen orbitatem suam tan excelso animo
pertulit, ut prodiret in publicum, ubi, audiente populo Romano, *casum suum tam magnifice consolatus est, ut magis
metuere ne quem dolor ille fregisset, quam ipse fractus esse
videretur*... *Pericles, Atheniensium dux,* inter quatuor dies
duobus filiis orbatus non solum non ingemuit, sed nec prio-
rem frontis habitum mutavit... *Xenophon,* filii morte nuntiata,

les, que fuimos semejantes en pérdida aquel
Anaxágoras e yo, que seamos yguales en sentir
e que responda yo, muerta mi amada hija, lo
que el su vnico hijo, que dijo: como yo fuesse
mortal, sabía que hauía de morir el que yo en- 5
gendraua. Porque mi Melibea mató a sí misma
de su voluntad a mis ojos con la gran fatiga de
amor que la aquexaba; el otro matáronle en
muy lícita batalla. ¡O incomparable pérdida! ¡O
lastimado viejo! Que quanto más busco con- 10
suelos, menos razón fallo para me consolar. Que,
si el profeta e rey Dauid al hijo, que enfermo
lloraua, muerto no quiso llorar, diziendo que era
quasi locura llorar lo irrecuperable, quedáuanle
otros muchos con que soldase su llaga; e yo 15
no lloro triste a ella muerta, pero la causa desas-

---

sacrificium cui tunc intererat, non omisit... *Anaxagoras mor-
tem filii nuntianti: Nihil*, inquit, *novum aut inaxpectatum
audio: ego enim, cum sim mortalis, sciebam ex me genitum
esse mortalem.*" Está tomado de Laercio. Los mismos ejemplos trae el Petrarca consolando de la pérdida de los hijos, y
además el de David, que aquí viene luego, en *De Remediis*,
2, 48. Véase la traducción de FRANCISCO MADRID: "Sabes
tambien qué coraçones tuvieron Paulo Emilio y el mesmo
Caton, Pericles y Xenophon, aquel compañero y émulo de
Platon, y otros innumerables en las muertes de sus hijos ni
se te encubre tampoco cómo aquel sancto rey e propheta al
hijo que enfermo llorava no lloró despues de muerto, pensando que llorar por lo que no puede cobrarse más procede
de locura demasiada que de piedad." Nótense las últimas
palabras acerca de David, que son las mismas del texto. En
el mismo diálogo dice luego: "Por ventura no oyste lo que
dixo Anaxágoras o has olvidado que era mortal el que en-
gendraste."

trada de su morir. Agora perderé contigo, mi
desdichada hija, los miedos e temores que cada
dia me espaµorecían: sola tu muerte es la que
a mí me haze seguro de sospecha.

5   ¿Qué haré, quando entre en tu cámara e re-
traymiento e la halle sola? ¿Qué haré de que
no me respondas, si te llamo? ¿Quién me podrá
cobrir la gran falta que tú me hazes? Ninguno
perdió lo que yo el día de oy, avnque algo con-
10   forme parescía la fuerte animosidad de Lambas de Auria, duque de los ginoveses, que a su
hijo herido con sus braços desde la nao echó
en la mar. Porque todas estas son muertes que,
si roban la vida, es forçado de complir con la

---

1 *Agora...* Tomado del mismo Diálogo del Petrarca
(2, 48): "Perdiste también con él (hijo) muchos temores e
infinitas causas de congoxas e cuydados, e para carescer destos eran necessario que tú o él muriéssedes, porque al padre
ninguna otra cosa sino la muerte le faze seguro."

10 *Lambas de Auria,* duque de los genoveses. Así en
Z, A, O, en V y B *athenienses,* pero hay errata, como se
verá por el texto de donde tomó esto el autor, que fué de
las *Epístolas familiares* del Petrarca (Florentiae, 1859, t. 1,
p. 81, 82 y 85): "Unum de multis exemplum illustre non
sileo. *Lambas de Auria,* vir acerrimus atque fortissimus, *dux
Ianuensium* fuisse narratur eo maritimo praelio quod pri-
mum cum Venetis habuerunt, omnium memorabili, quae pa-
trum nostrorum temporibus gesta sunt... Cumque in eo con-
gressu filius illi unicus... corruisset, ac circa iacentem luctus
horrendus sublatus esset, accurrit pater, et: *Non gemendi,*
inquit, *sed pugnandi tempus est.* Deinde versus ad filium,
postquam in eo nullam vitae spem videt: *Tu rero,* inquit,
*fili, nunquam tam pulchram habuisses sepulturam, si defunc-
tus esses in patria.* Haec dicens, armatus armatum tepen-
temque complexus proiecit in medios fluctus, ipsa, ut mihi
videtur, calamitate felicissimus."

fama. Pero ¿quién forçó a mi hija a morir, sino la fuerte fuerça de amor? Pues, mundo halaguero, ¿qué remedio das a mi fatigada vegez? ¿Cómo me mandas quedar en tí, conosciendo tus falacias, tus lazos, tus cadenas e redes, con que pescas nuestras flacas voluntades? ¿A dó me pones mi hija? ¿Quién acompañará mi desacompañada morada? ¿Quién terná en regalos mis años, que caducan?

¡O amor, amor! ¡Que no pensé que tenías fuerça ni poder de matar a tus subjectos! Herida fué de tí mi juuentud, por medio de tus brasas passé: ¿cómo me soltaste, para me dar la paga de la huyda en mi vegez? Bien pensé que de tus lazos me auía librado, quando los quarenta años toqué, quando fui contento con mi conjugal compañera, quando me ví con el fruto que me cortaste el día de oy. No pensé que tomauas en los hijos la vengança de los padres. Ni sé si hieres con hierro ni si quemas con fuego. Sana

9 Aquí y en la idea general de la *Comedia* tuvo presente el autor al Petrarca en el diálogo "de los agradables amores" (*Remed.*, 1, 49): "Qué fuerça te parece la deste mal (del amor), pues con blando encuentro derriba duros coraçones e tan rezios cuerpos e con flaca atadura ata tan ligeros pies y tan fuertes braços... e también que Leandro se ahogasse en la mar... a la luxuria llamays amor, a este honrays y a este con desenfrenada manera de hablar hazeys dios porque escuse y cobije vuestros yerros, que apenas el cielo los puede cobrir. Pues si fuesse dios no haría cosa que fuesse mala..."

18 Esta doctrina es judía y nada cristiana. En cambio, en toda esta trágica lamentación final Pleberio no se acuerda

dexas la ropa; lastimas el coraçón. Hazes que feo
amen e hermoso les parezca. ¿Quién te dió tanto
poder? ¿Quién te puso nombre que no te conuiene? Si amor fuesses, amarías a tus siruientes.
5 Si los amasses, no les darías pena. Si alegres
viuiessen, no se matarían, como agora mi amada
hija. ¿En qué pararon tus siruientes e sus ministros? La falsa alcahueta Celestina murió a
manos de los más fieles compañeros que ella
10 para su seruicio enponçoñado jamás halló. Ellos
murieron degollados. Calisto, despeñado. Mi triste hija quiso tomar la misma muerte por seguir-
le. Esto todo causas. Dulce nombre te dieron;
amargos hechos hazes. No das yguales galardo-
15 nes. Iníqua es la ley, que a todos ygual no es.
Alegra tu sonido; entristece tu trato. Bienauenturados los que no conociste o de los que no te
curaste. Dios te llamaron otros, no sé con qué
error de su sentido traydos. Cata que Dios mata
20 los que crió; tú matas los que te siguen. Enemigo de toda razón, a los que menos te siruen das

para nada de Dios ni de los consuelos de nuestra Religión.
El autor que la escribió no llevaba en el hondo del alma
la fe religiosa del cristiano, que brota, quieras que no, en
los percances angustiosos y en los momentos de gran dolor.
Lo cual confirma ser Fernando de Rojas.

1 *Haces que feo amen.* Véase HITA, 402-404. El autor
tenía en la memoria los denuestos contra el Amor que en
éstas y en las coplas siguientes (415-420) trae el Arcipreste.

19   Véase la última cita del Petrarca.

21   HITA (185) : Al que mejor te syrve, a el fieres, quando
tiras.

mayores dones, hasta tenerlos metidos en tu
congoxosa dança. Enemigo de amigos, amigo de
enemigos, ¿por qué te riges sin orden ni concierto? Ciego te pintan, pobre e moço. Pónente
vn arco en la mano, con que tiras a tiento; más 5
ciegos son tus ministros, que jamás sienten ni
veen el desabrido galardón que saca de tu seruicio. Tu fuego es de ardiente rayo, que jamás
haze señal dó llega. La leña, que gasta tu llama,
son almas e vidas de humanas criaturas. Las 10
quales son tantas, que de quien començar pueda, apenas me ocurre. No sólo de christianos;
mas de gentiles e judíos e todo en pago de buenos seruicios. ¿Qué me dirás de aquel Macías
de nuestro tiempo, cómo acabó amando, cuyo 15
triste fin tú fuiste la causa? ¿Qué hizo por tí
Páris? ¿Qué Elena? ¿Qué hizo Ypermestra?
¿Qué Egisto? Todo el mundo lo sabe. Pues a
Sapho, Ariadna, Leandro, ¿qué pago les diste?
Hasta Dauid e Salomón no quisiste dexar sin 20
pena. Por tu amistad Sansón pagó lo que mere-
ció, por creerse de quien tú le forçaste a darle fe.
Otros muchos, que callo, porque tengo harto que
contar en mi mal.

Del mundo me quexo, porque en sí me crió, 25
porque no me dando vida, no engendrara en él
a Melibea; no nascida, no amara; no amando,
cessara mi quexosa e desconsolada postrimería.

---

2 Hita, 372: Eres mal enemigo a todos quantos plazes.

¡O mi compañera buena! ¡O mi hija despeda-
çada! ¿Por qué no quesiste que estoruasse tu
muerte? ¿Por qué no houiste lástima de tu querida e amada madre? ¿Por qué te mostraste
5 tan cruel con tu viejo padre? ¿Por qué me
dexaste, quando yo te havía de dexar? ¿Por
qué me dexaste penado? ¿Por qué me dexaste
triste e solo in hac lachrymarum valle?

CONCLUYE EL AUTOR

aplicando la obra al propósito por que la acabó.

Pues aquí vemos quán mal fenescieron
Aquestos amantes, huygamos su dança,
Amemos a aquel que espinas y lança,   5
Açotes y clauos su sangre vertieron.
Los falsos judíos su haz escupieron,
Vinagre con hiel fué su potación;
Porque nos lleue con el buen ladrón,
De dos que a sus santos lados pusieron.   10

No dudes ni ayas verguença, lector,
Narrar lo lasciuo, que aquí se te muestra:
Que siendo discreto verás qu' es la muestra
Por donde se vende la honesta lauor.

---

3 Estas tres estrofas aparecen por primera vez en la
edición de Sevilla de 1502. "La primera de ellas —dice Bo-
nilla— es la última de las once coplas preliminares de la
etapa precedente, con ciertas variantes" (la de Sevilla de
1501). Proaza fué el que añadió otra octava final: "Penados amantes..." en esta edición y el que la dispuso. A él han
de atribuirse estas coplas a nombre del autor y a él los
autos añadidos en esta misma edición.

De nuestra vil massa con tal lamedor
Consiente coxquillas de alto consejo
Con motes e trufas del tiempo más viejo;
Escriptas a bueltas le ponen sabor.

5 Y assí no me juzgues por esso liuiano;
Más antes zeloso de limpio biuir,
Zeloso de amar, temer y seruir
Al alto Señor y Dios soberano.
Por ende, si vieres turuada mi mano,
10 Turuias con claras mezclando razones,
Dexa las burlas, qu' es paja e grançones,
Sacando muy limpio d' entr' ellas el grano.

FIN

ALONSO DE PROAZA

corrector de la impresión.

AL LECTOR

La harpa de Orpheo e dulce armonía
Forçaua las piedras venir a su són,   5
Abríe los palacios del triste Plutón,
Las rápidas aguas parar las hazía.
Ni aue bolaua ni bruto pascía,
Ella assentaua en los muros troyanos
Las piedras e froga sin fuerça de manos,   10
Según la dulçura con que se tañía.

Prosigue e aplica.

Pues mucho más puede tu lengua hazer,
Lector, con la obra que aquí te refiero,
Que a vn coraçón más duro que azero   15
Bien la leyenda harás liquescer:

---

4 Del *Laberinto* (c. 120): *"y dulce armonía, | mostróse
la harpa que Orfeo* tañía."
6 *Triste Plutón* le llama Mena en el *Laberinto* (c. 251).
10 *Froga*, obra de albañilería, de piedras irregulares y
guijas con argamasa, posverbal de *frogar* o fraguar. *Ord.
Sev.*, 242. Sant., *Escor.*, f. 68. (Véase Cejador, *Tesoro de
la leng. cast. Silbant.*, 181.)

Harás al que ama amar no querer,
Harás no ser triste al triste penado,
Al que sin auiso, harás auisado:
Assí que no es tanto las piedras mouer.

Prosigue.

No debuxó la comica mano
De Neuio ni Plauto, varones prudentes,
Tan bien los engaños de falsos siruientes
Y malas mugeres en metro romano,
Cratino y Menandro y Magnes anciano
Esta materia supieron apenas
Pintar en estilo primero de Athenas,
Como este poeta en su castellano.

Dize el modo que se ha de tener leyendo esta tragicomedia.

Si amas y quieres a mucha atención
Leyendo a Calisto mouer los oyentes,
Cumple que sepas hablar entre dientes,
A vezes con gozo, esperança y passión,

---

7 *De Nevio ni Plauto...* "Meros nombres para Rojas y su panegirista" (MENÉND. PELAYO, *Oríg. Nov.*, III, XLVI). Pero para mí nada de esto es de Rojas, sino del corrector.
10 *Cratino...*, poetas de la comedia griega.

A vezes ayrado con gran turbación.
Finge leyendo mil artes y modos,
Pregunta y responde por boca de todos,
Llorando y riyendo en tiempo y sazón.

Declara vn secreto que el autor encubrió en los metros   5
que puso al principio del libro.

No quiere mi pluma ni manda razón
Que quede la fama de aqueste gran hombre
Ni su digna fama ni su claro nombre
Cubierto de oluido por nuestra ocasión.   10
Por ende juntemos de cada renglón
De sus onze coplas la letra primera,
Las quales descubren por sabia manera
Su nombre, su tierra, su clara nación.

Toca cómo se deuía la obra llamar tragicomedia   15
e no comedia.

Penados amantes jamás conseguieron
D' empresa tan alta tan prompta victoria,
Como estos de quien recuenta la hystoria,
Ni sus grandes penas tan bien succedieron.   20
Mas, como firmeza nunca touieron
Los gozos de aqueste mundo traydor,
Supplico que llores, discreto lector,
El trágico fin que todos ouieron.

**Descriue el tiempo y lugar en que la obra primeramente
se imprimió acabada.**

> *El carro Phebeo después de auer dado*
> *Mill e quinientas bueltas en rueda,*
> 5   *Ambos entonces los hijos de Leda*
> *A Phebo en su casa teníen possentado,*
> *Quando este muy dulce y breue tratado,*
> *Después de reuisto e bien corregido,*
> *Con gran vigilancia puntado e leydo,*
> 10 *Fué en Salamanca impresso acabado.*

---

3 *El carro Phebeo*, del sol. "La reproducción de estos
versos en la edición valenciana de 1514 no implica, en concepto de Haebel ni en el mío, que ésta sea copia de la sal-
mantina de 1500, ni nos autoriza para creer que llevase el
título de *Tragicomedia*, ni que contuviese los veintiún actos
y el prólogo. Pudo tomarse el texto de otro ejemplar poste-
rior, que acaso estaría incompleto, y añadirle los versos de
Salamanca" (MENÉND. PELAYO, *Oríg. Nov.*, III, VIII). No
se ha descubierto tal edición de 1500 de Salamanca (véase
FOULCHÉ-DELBOSC, *Rev. Hisp.*, t. 7 y 9). Donde aparecen
las seis octavas (la de *Toca como*... es de la de Valencia de
1514) es en la de Sevilla de 1501. En *S* y *A*: "mill e quinientas dos bueltas"; en *Z*: "Mill quinientas siete vueltas";
en *R*: "Nel mille cinque cento cinque." Cada edición pone
el año en que se imprimió. En *V: mill e quinientas;* lo mismo
en la de Sevilla de 1501, por haberlo así puesto Proaza, esperando publicarla en 1500, aunque no salió hasta el año
siguiente, o por haberse publicado en 1500 otra edición que
no conocemos.

TRAGICOMEDIA DE CALISTO É ME-
LIBEA. AGORA NUEUAMENTE REUI-
STA É CORREGIDA CON LOS ARGU-
MENTOS DE CADA AUTO EN
PRINCIPIO ACABASSE CON
DILIGENCIA STUDIO IM-
PRESSA EN LA ISIGNA
CIUDAD DE VALĒCIA
POR JUÃ JOFFRE
Á XXI DE FEB-
RERO DE M.
Y. D. Y. XIIII
ANOS

GLOSARIO (1)

á, 105, 1; 208, 5.
abad, 71, 2.—II, 45, 14.
abaxar, II, 44, 16.
abastar, II, 56, 5; 143, 13.
abatir, 35, 2.
acabar, 246, 11.—II, 117, 10.
acarrear, II, 160, 12; 192, 10.
acatar, II, 85, 13.
aceite, 142, 9.
azemilero, II, 162, 1 y 16.
acepto, 7, 8.
aziago, II, 184, 20.
acocear, 214, 6.
acordar, 145, 4; 191, 9; 245, 23.—II, 65, 12; 75, 12; 146, 28; 159, 11.
acorrer, II, 129, 4.
acorro, 233, 1.—II, 67, 10.
acostar, 26, 3; 129, 5.—II, 144, 16.
acuerdo, II, 76, 25.
achaque, 157, 1; 244, 7.
adalid, II, 121, 13.
Adán, 50, 5 y 8.—II, 35, 1.
aderezar, II, 19, 22; 73, 19.
adormido, II, 200, 10.
aquirir, II, 100, 2.
adrezar, II, 17, 7.
Adriano, 187, 9.
afán, 69, 2.
afistolar, 224, 12.
aflacar, II, 62, 2.
aforrar, II, 28, 13.
afuera, II, 150, 24.
agraz, 75, 5.
Agripina, II, 193, 9.
agro, 123, 11; 208, 19.
aguaducho, 18, 10.
aguijar, 127, 13; 195, 20.

aguila, 83, 1.
agujeta, 197, 9.
ahorcado, 81, 3.
ayna, II, 72, 12; 77, 4.
axienso, 251, 15.
al, 37, 16; 103, 5; 108, 3.
ala, II, 158, 8.
alahe, alafé, 62, 5; 98, 14; 103, 2.—II, 72, 16.
alançar, II, 200, 18.
alvalino, 75, 3.
alvayalde, 139, 18.—II, 155, 9.
Alberto, 98, 8.
alborada, II, 38, 10; 153, 13.
albricias, II, 21, 20; 23, 7.
alcándara, 35, 3.
Alcibíades, 219, 16.
alcohol, 139, 18.
alcoholar, 67, 4.
aleluya, 71, 22.
Aleto, 149, 4.
Alexandre, 45, 10 y 16; 185, 18.—II, 53, 16.
algalia, 72, 2.
alinde, 57, 14.
Alisa, 159, 22.
alma, II, 74, 14; 79, 11.
almazén, 192, 12; 214, 11. — II, 83, 22.
Almazén, II, 169, 1.
almizcle, 73, 1.
alquile, II, 143, 11.
alçar, II, 136, 17.
allegar, II, 82, 16.
allende, 52, 18.
amanojar, II, 21, 2.
ambar, 72, 2.

buche, II, 157, 6.
buytrera, II, 80, 7.
bujellada, 75, 1.
bullir, II, 184, 9.
burla, 86, 8; 241, 20.
burlar, 44, 6; 97, 23; 249, 9 y 11.—
    II, 78, 22.
Bursia, II, 193, 3.

cavallo, 77, 2; 81, 2.
cabe, 170, 13.—II, 28, 4.
caber, II, 146, 7.
cabo, 135, 9.—II, 16, 12; 28, 5;
    95, 4; 168, 5.
cabrón, 146, 8.
cayda, II, 109, 2.
calar, 137, 15.—II, 64, 4.
Calatayud, II, 178, 25.
calderuela, II, 19, 19.
Calisto, 31, 22.
calça, II, 99, 19.
callentar, II, 28, 14.
camello, 77, 2.
camino, II, 24, 19; 166, 7.
campo, 138, 4.
Canasce, II, 150, 5.
cancre, 123, 12.—II, 35, 22.
caos, 150, 3.
Capadocia, II, 194, 5.
capilla, II, 89, 6.
caramillo, II, 41, 17.
Cárcel de Amor, alusión en: II,
    201, 17.
cargar, II, 97, 21; 104, 15; 140, 7.
cargo, 125, 8; 136, 8; 192, 14; 193,
    18.—II, 25, 11; 59, 7.
carilla, 79, 5.
caso, II, 35, 26.
caxquete, II, 89, 6.
caxquillo, 224, 2.
castigar, 205, 16.—II, 20, 13.
castigo, 254, 21.—II, 13, 19.
catar, 235, 8.—II, 72, 3, 7 y 16.
cativamente, 102, 12.
cativo, 10, 22; 53, 18.
cautela, II, 158, 23.
ce, 60, 3; 88, 21.—II, 82, 7 y 21.
ceuar, II, 168, 12.
ceuo, 177, 2.—II, 80, 6; 168, 11.
cebolla albarrana, 79, 13.
Celestina, 58, 19.
celo, II, 41, 18.
cencerrar, II, 72, 18.
Centurio, II, 132, 10.
cepacavallo, 79, 13.
cerca, 68, 9.
cerco, 239, 6.

cerilla, 75, 1.
cerro, II, 158, 6.
certenidad, 65, 15.
Cicerón, alusiones en: 199, 7.—II.
    21, 15.
cielo, II, 141, 1.
cierto, II, 38, 20; 158, 15.
ciervo, 80, 9.
cigüeña, 176, 11.
cimenterio, 238, 6.
cimera, 107, 15.
clamor, II, 195, 20.
clarimiente, 75, 2.
claro, II, 83, 16.
Claudina, 98, 13; 135, 15.
clavo, II, 12, 11.
clientula, 150, 6.
Clistenestra, II, 193, 7.
cobrar, II, 94, 23.
cobro, II, 45, 9; 98, 19; 199, 1.
codorniz, 81, 1.
cofadría, 68, 6.
cogitaciones, 128, 8.
colgar, 173, 14.—II, 69, 8; 77, 6.
collor, color, II, 177, 12.
comadre, 241, 1.
comer, II, 145, 2.
comigo, conmigo, 37, 7.
como, 35, 1; 99, 12; 102, 15
compañía, II, 43, 11.
conejo, 77, 3.
confación, 76, 3.
confecionar, 145, 2.
conseja, 19, 7.
Constantino, II, 194, 4.
constelación, 53, 4.
contecer, 48, 1; 103, 3.
contingible, 129, 20.
contino, 217, 15.—II, 64, 10.
contraminar, II, 176, 2.
contray, 218, 4.
conuersación, II, 181, 13; 182, 21.
coraje, II, 29, 3.
coraçón, 86, 4.—II, 19, 22; 80, 13;
    110, 12; 147, 7; 186, 6.
cordelejo, 227, 17.
coronilla, 78, 5.
correlarios, 64, 16.
corrupto, II, 30, 3.
cortar, II, 197, 17 a 20.
Corvacho, alusiones en: 48, 4; 50,
    8; 57, 14; 71, 17; 72, 1; 107,
    9; 138, 13; 243, 18.—II, 31, 1;
    40, 21.
corço, 76, 3.
cossario, 260, 2 y 3.
cosquear, 42, 1.—II, 100, 18.
Cota, 6, 1; 12, 18; 75, 3.

Cota, alusión en: II, 205, 14.
coz, 118, 3.
Cratino, II, 216, 10.
Cremes, 163, 4.
cresta, 259, 1.
crinado, 54, 12.
Crito, 60, 5.
crudo, 240, 6.
quantía, 100, 8.
quatro, II, 32, 2.
cuchillada, 160, 2.
cuenta, 24, 4.—II, 118. 18 ; 170 18.
cuento, II, 97, 8 ; 176. 11
cuervo, 158, 5.
cuestas, 126, 1.—II, 42, 12 ; 66, 14 ;
  166, 19.
cuydoso, 99, 15.
culantrillo, 78, 4.
culebra, 77, 2.
Cupido, 10, 18 ; 43. 17 ; 122, 13 ;
  216, 3.—II, 149, 4.
cura, II, 47, 9.
curar, 34, 12.—II. 169, 11.

daca, II, 19, 20 ; 23, 2.
dañado, 148, 3.
daño, II, 99, 25.
dar, II, 119, 23.
David, 50, 9.—II, 150. 6 ; 207. 12 ;
  211, 20.
de, 64, 14.—II, 35, 10.
debaxo, 243, 14.—II, 151, 10.
decir, 56, 9 ; 200, 17.
decir (bajar), II, 198, 19.
Dédalo, 12, 15.
deesa, 56, 8.
defender, II, 50, 10.
delante, 178, 17 ; 213, 1.
demás, II, 147, 12.
dende, 205, 8 ; 220, 5 ; 243. 9.—II,
  91, 23.
dentera, II, 181, 29.
derecho, II, 45, 24 ; 106, 9.
derramasolaces, II, 40, 10.
derrocar, II, 45, 16.
desacompañado, 135, 6.—II, 109, 7.
desacordado, 261, 13.—II, 160, 11.
desadormescer, II, 85, 26.
desalabar, 121, 18.
desamar, II, 173, 13.
desamor, 161, 13.—II, 58, 16.
desasnar, II, 158, 5.
desatacar, 71, 13.
desaventurado, 33, 18.
desbauar, 210, 15.
desbravar, 38, 4.
descabeçar, II, 109, 3.

descabuíllir, II, 36, 1.
descaecer, II, 61, 3.
descalçar, II, 132, 8.
desculpa, 7, 8 ; 179, 11.
desculpar, 222, 9.
desde, 163, 6.
desenconar, 38, 9.
desenojar, 236, 13.
desentido, 121, 19.
desflorar, 196, 16.
desfuzia, 246, 14.
desgoznar, 123, 1.—II, 162, 2.
desgraciado, II, 35, 23
desmandar, 182, 16.
desmenguar, 132, 6.—II, 44, 16.
  Bibl. Gallardo, 4, 711: Y ansi
  vereis desmenguar la dádiva que
  se tarda.
desocupado, 142, 1.
despartir, II, 122, 11.
despedir, II, 155, 1.
despegar, II, 74, 1.
despriuar, II, 179, 18.
destemplar, II, 181, 7.
desterrar, 233, 10. errata por des-
  enterraua.
destorcer, II, 85, 25.
desuellacaras, II, 165, 4.
desvariado, 153, 16.
deuanear, 222, 12.—II, 18, 14.
deuoción, II, 24, 19.
diablo, 37, 6 ; 128, 19 ; 247, 11.—II,
  18, 14 ; 23, 3 y 8.
diacitron, II, 22, 21.
Diana, 10, 18.
dicha, 254, 14.
dicho, 106, 13.
Dido, 216, 1.
diente, 195, 9 ; 239, 4.
diferencia, 23, 3.
diminuto, II, 91, 21.
Dios, II, 32, 10 ; 103, 17.
dísono, 26, 1.
Dite, 150, 1.
do, 89, 17.
doble, II, 73, 14.
doler, II, 36, 17.
dolorioso, II, 57, 12.
don, 63, 4 ; 258. 17.—II, 161, 23.
donde, 3, 4 ; 132, 11 ; 242, 11.—
  II, 11, 11 ; 100, 17.
drago, 144, 2.
durar, II, 166, 8.

Ecequiel (libro de), 183, 5.
Eclesiastés (libro del), II, 13, 3.
Eclesiasticus (libro del), 47, 6.

echeneis, 20, 15 ; 21, 7
Egypto, II, 72, 15 ; 193, 5.
Egisto, II, 211, 18.
el, 66, 1 ; 107, 18.
elefante, 19, 8.
Elena, 226, 24.—II, 211, 17.
Elisa, 216, 3.
embaxador, 80, 2.
embargar, 11, 6.
empachar, II, 89, 1 ; 174, 7.
empezible, 178, 3.—II, 124. 14.
empicotar, 160, 9.
emplumar, 121, 15 y 18. 140, 11.
empresa, 224, 17.
encandelar, II, 19, 18.
encienso, 251, 17.
enclavijar, 214, 3.
encomparablemente, 32, 6.
encorozar, 155, 1.
ende, II, 141, 2.
Eneas, 216, 1.—II, 149, 4.
enfengir, 146, 2.
enojo, II, 100, 15
enoramala, II, 87, 20.
enrubiar, 76, 7.
ensañar, 109, 11 ; 110, 5.
ensordar, 89, 6.
entender, II, 35, 25 ; 40, 16 ; 75, 15.
entonce, II, 21, 21 ; 31, 15.
entramos, entrambos, 257, 5.—II, 87, 11.
entrar, 178, 2.—II, 25, 18.
entre, 64, 15 ; 99, 20.
entremedias, II, 71, 10.
enuergonçante, II, 196, 1.
envestir, 227, 20.—II, 32, 14.
envolver, II, 26, 9.
Eraclito, 15, 2.
erizo, 78, 1 ; 82, 1.
-és por -eis, 188, 11 ; 212. 6.—II, 38, 5.
escalar, II, 150, 18 ; 176, 3.
escallentador, II, 28, 10.
escallentar, II, 9, 18.
escanciar, II, 28, 8.
escardilla, 93, 10.
escocer, 47, 1.
escotar, II, 140, 16.
escote, II, 80, 8.
escritura (sagrada), 244, 11.
escuro, 143, 3 ; 217, 2 y 6.
esgarrochar, 42, 17.
eslavón, 210, 12.
esotro, II, 39, 8 ; 99, 14.
espacio, II, 87, 21 ; 156, 13 : 188, 20.
espacioso, 201, 6.
espalda, II, 94, 15 ; 162, 18.
espantalobos, 75, 4.

espauorecer, II, 208, 3.
especial, 93, 19 ; 108, 18.
espera (esfera), 114, 11.
espesso, II, 47, 12.
espliego, 78, 5.
esquiuar, II, 181, 29
esquividad, 120, 18 ; 259, 13.
esquivo, 33, 7.
Stigie, 150, 1.
estó, II, 70, 11.
estoraque, 72, 2 ; 79, 2.
estorçer, 87, 23.
estotro, II, 17, 15 ; 24, 17.
estraño, II, 25, 15.
estrecho, 191. 14.
estrellero, 138, 8.
estrena, II, 177, 15.
estudio, 34, 8.
étnico, 149, 1.
Eva, II, 35, 1.

facile, II, 12, 3.
facion, 74, 2.
falda, II, 88, 30.
faldeta, 248, 11.
falsar, 72, 1.—II, 84, 3.
falta, II, 17, 13.
faltar, 155, 1.—II, 15, 24.
fallecer, 159, 14.
fardel, II, 145, 6.
fe, 234, 11.
Phebeo, II, 218, 3.
Febo, II, 21, 22 ; 114. 10 ; 128, 1 ; 218, 6.
fengir, II, 25, 17 ; 26, 17.
fiel, 89, 8.
fijadalgo, II, 34, 14.
filigrés, II, 47, 10.
Philipo, II, 194, 3.
filosomia, 91, 1 ; 171, 6.
finar, 178, 7 ; 257, 2.—II, 165, 1.
física, 71, 15.
físico, II, 55, 18.
flama, II, 21, 18.
frecha (flecha), 122, 13 ; 206, 13.
flor, 78, 6 ; 101, 25.
flutuoso, 122, 21.—II, 203, 6.
forçado, II, 26, 3.
frágile, II, 51, 21.
Francisco Petrarcha, 17, 10 (véa-se Petrarca).
Phrates, II, 194, 9.
fregar, 92, 8.
frescor, 250, 10.
frisado, 218. 5.
froga, II, 215. 10.
fué (fuí), 172, 3.

huego (fuego), II, 86, 23.
fueste, 99, 12.—II, 9, 16.
furia, 149, 3.
fuste sanguino, 79, 13.

gaita, 43, 8.
Galeno, 36, 1.
gallillo, 258, 26.
gallina, 247, 15.
gamon, 75, 4.
ganar, 35, 4.—II, 158, 17; 196, 22.
garvin, 139, 17.
garça, 76, 3; 77, 3.
gato, 77, 4; 146, 7.
ge (vide se).
Génesis (libro del), 44, 13.
gesto, II, 19, 18; 151, 23; 166, 4.
gloriar, 53, 6.
gorguera, 49, 11.—II, 155, 12.
gostadura, 136, 1.
gota, II, 90, 5.
gotera, 255, 6.
gracia, 87, 1; 243, 12.
grado, 217, 10 y 11.—II, 84, 11.
gramonilla, 78, 6.
Granada, 130, 2.
Guadalupe, II, 90, 11.
guarecer, 225, 3.—II, 11, 6.
guarte, II, 65, 6; 104, 16.
guay, 61, 18; 92, 4; 259, 18.
guija, 81, 3.
guzque (gozque), II, 103, 3.

ha, II, 97, 7.
hava, 81, 2.
havado, II, 42, 20.
haver, II, 51, 28; 125, 20.
hablar, 245, 21.—II, 17, 21; 61, 19.
hablilla, 46, 1.
hacer, II, 129, 20.
halda, 198, 18.
haldear, 158, 9; 195, 8.
hallar, II, 79, 23.
harda, 78, 1.
harpado, II, 27, 4; 166, 13.
harpar, II, 166, 4.
harpía, 150, 3.
he, II, 35, 21.
Etor, 185, 18.
hechizo, II, 72, 6.
helecho, 83, 1.
Helías, 50, 7.
Ercules, 186, 2.
Herodes, II, 194, 4.

hi, II, 73, 22.
hideputa, 45, 9.—II, 18, 10.
hiel, 75, 5.
higa, II, 69, 10.
higueruela, 78, 7.
hilado, 139, 13. Es la obra hilada,
hilo o lana, como hiladillo. Orden. Gran., 18, 3: Que el hiladillo o medianos la puedan teñir
con brasil.
inchado, II, 69, 4.
Hipocrates, 36, 1.
Hita, alusiones en: 27, 1; 48, 4;
51, 7; 52, 3, 4 y 7; 53, 4 y 7;
55, 3; 58, 19; 121, 14; 168, 19;
174, 14; 185, 14; 255, 12.—II, 31,
3; 210, 1; 210, 21; 211, 2.
hoja, 78, 7; 117, 3; 225, 5.—II,
79, 17.
hojaplasma, 79, 12.
hombre, 65, 7; 106, 16; 107, 1; 114,
19.—II, 155, 26.
honrrado, 217, 14; 259, 6.—II,
45, 26.
hora, II, 39, 7; 76, 22; 78, 11;
128, 25.
horacar, II, 14, 14.
horado, 255, 12.
ortolano, 250, 15.
hueso, 24, 1; 80, 9.
huestantigua, 247, 12.
humilmente, II, 51, 12.
humo, 251, 15.—II, 185, 6.
hundir, II, 185, 4.
hurtado, II, 139, 9.
hurto, 154, 19.
hy, 61, 14; 96, 4; 170, 21.

ydra, 150, 5.
impedir, 223, 22.
impervio, 94, 6.
improuiso, II, 145, 7.
incogitado, 212, 15.—II, 124, 14;
201, 7.
incognito, 160, 5.
incusar, II, 81, 5; 198, 2; 202, 7.
Ynés, 131, 1.
ingenio, 34, 1.
inmérito, 32, 3; 93, 15.
inopia, 4, 1.
insipiente, 96, 7.
instruto, 93, 20.
interesse, 87, 22.
interrumper, II, 179, 21.
ir, 141, 14; 245, 22; 262, 9.—II,
77, 3; 165, 21

pan, 129, 2.—II, 91, 14 ; 124, 4.
par, 226, 22.—II, 31, 16.
para, 259, 22.
paramento, 180, 1.—II, 157, 2.
parar, 170, 16 ; 190, 14.—II, 28, 16 ;
    157, 3.
pardios, 226, 2.
parecer, II, 78, 5 y 6.
pared, II, 154, 5.
Páris, 56, 7.—II, 211, 17.
Pármeno, 66, 8.
parte, 189, 23.—II, 127, 1 ; 151, 7.
parthos, II, 194, 9.
partizilla, 196, 19.
pasar, 133, 18 ; 242, 6 ; 243, 6.—II,
    83, 16 y 21 ; 93, 16 ; 147, 9.
passear, II, 153, 12
Pasife, 45, 20.—II, 150, 8.
pasión, 115, 18 ; 161, 20.
passo, 246, 21 ; 249, 6.—II, 61, 1 ;
    63, 18.
pastellera, II, 140, 19.
Paulo Emilio, II, 206, 2.
pe a pa (de), II, 167, 5.
pecado, 251, 10.
Pedro, 131, 1 ; 241, 1.
pegón, 227, 17.
peynado, II, 102, 4.
pelacejas, 239, 5.
pelar, 206, 1.
pelechar, 204, 6.
pelícano, 176, 9.
pelo, 38, 16 ; 205, 14.
pelón, II, 158, 5.
penado, 11, 8.
penar, II, 36, 19 ; 37, 3.
pender, 132, 7.
Penélope, II, 113, 10.
pensar, 87, 14.
Pericles, II, 206, 8.
perla, 249, 3.—II, 26, 13.
Persio, alusión en : II, 26, 20.
perro, 158, 3.
peso, 185, 1.
Petrarca, alusiones del autor en :
    165, 6 ; 166, 4 ; 169, 3 ; 170, 6 ;
    171, 11 ; 214, 23 ; 219, 16 ; 234,
    15 ; 235, 4.—II, 12, 12 ; 13, 3 ; 16,
    8 ; 33, 16 ; 34, 19 ; 59, 21 ; 71, 4 ;
    83, 14 ; 111, 20 ; 112, 5 ; 186, 18 ;
    202, 21 ; 204, 2 y 5 ; 205, 1 ; 206,
    2 ; 208, 1 y 10 ; 209, 9 ; 210, 19.
Petrarca, alusiones del corrector :
    17, 10 ; 18, 1 ; 20, 15 ; 22, 2 ; 23,
    11 ; 167, 4.—II, 193, 8.
petrera, 63, 1.
picar, 24, 4.
pico, 78, 7.

pie, 132, 8 ; 226, 16.—II, 9, 19 ; 100,
    18 : 170, 21.
piedra, 54, 14 ; 83, 1.
pieza, 161, 16.
Píramo y Tisbe, 36, 5.
Plauto, II, 216, 7.
Plauto, alusiones acaso en : 255, 8.—
    II, 186, 18.
plaza, II, 103, 20.
pleyto, 194, 7.
Plinio, 20, 14.
pluma, 136, 11.
Plutón, 148, 1.
poleo, 251, 15.
Polonia (Sta.), 181, 18.
polvorizar, 76, 6.
poner, 99, 20.
por, 236, 6.—II, 26, 2.
porfiado, II, 35, 16.
porrada, 46, 4 ; 67, 4.—II, 156, 17.
postremería, II, 201, 14 ; 203, 10.
postura, 227, 22.
premia, 42, 13 ; 104, 3.
preso, 4, 14.
pressura, II, 116, 13.
prima, 241, 4.
privado, II, 156, 18. Privado, su-
    ple de seso. Así en Málaga pri-
    vado es el borracho ; en Canarias,
    el sin conocimiento. PEDRO ES-
    PINOSA, Perr. y Cal.: El más pri-
    vado está más cerca de ser pri-
    vado.
pro, II, 35, 7 ; 43, 11.
Proverbios (Libro de los), 109, 6.
puerta, II, 70, 23 ; 83, 19.
pugnar, II, 194, 26.
pulgar, 162, 22.
Pulicena, 227, 2.
pungido, 42, 16.
punición, II, 140, 5.
punto, 79, 9, 206, 5 ; 248, 17.—II,
    87, 3.
pus (pues), 156, 6.
putico, 95, 14.

que, 10, 21 ; 108, 12 ; 248, 19.—II,
    14, 16 ; 93, 18 ; 95, 25 ; 104, 3.
quebrantar, II, 197, 2 y 3.
quebrar, II, 100, 16.
quedar, 225, 9.—II, 120, 1.
quedito, II, 81, 18.
quedo, 246, 22.
quehazer, II, 168, 22.
querer, II, 119, 21 ; 157, 9.
queria, 248, 3.—II, 96, 9.

Véase FERNÁN PÉREZ DE GUZMÁN, *Las Epístolas de Séneca*, Zaragoza, 1496. Pero no lo tomó Rojas de esta traducción, pues en ella se dice: "ca ciertamente el que ha su coraçón en muchas partes no lo ha en ninguna: assi como los que van en peregrinajes y romerias que mudan tantos aluergues que con ninguno no toman amor. Esto mismo conuiene que auenga a los que no se dan a vn estudio de cosa cierta: mas passan por todas las materias corriendo y con priessa, y no afirman en ninguna cosa, la vianda que como es comida, luego la lança fuera el estomago, ni nudreçe el cuerpo ni le aprouecha: ni hay cosa que tanto daño ni tan grande faga a la salud como mudar las melezinas amenudo ni las feridas jamas bien guaresçen en las cuales muchas prueuas se fazen de melezinas: las plantas que muchas vezes se replantan y remudan de vn lugar a otro no prenden ni forman fuerça ni vigor: ninguna cosa es tanto vtil y prouechosa que en passando ligeramente pueda aprouechar." Nótese que, según esto, en 1496 no estaba "probablemente" escrita *La Celestina*, pues probablemente hubiera tomado Rojas las palabras de esta traducción (véase **I**, 130, 1). 103, 19. En la epist. 2: "Non qui parum habet, sed qui plus cupit, pauper est." Traduc. de Pérez de Guzmán: "ni es pobre el que ha poco: mas el que mucho dessea". II, 9, 3. En P. Guzmán: "no es alegre ni dulce alguna possession sin compañía".

Séneca (Proverbios de... con la glosa), alusiones en: 111, 16; 189, 22; 191, 12.—II, 38, 3; 60, 7.

sentible, II, 45, 1; 57, 12.

sentir, 93, 4; 237, 4.—II, 147, 9.

señuelo, 128, 11.

ser, 34, 1 y 12; 41, 19; 51, 18; 236, 17.

serena (sirena), 248, 14.—II, 72, 20.

servicio, II, 68, 4.

seso, II, 97, 21; 103, 19; 108, 6; 125, 16; 138, 12; 189, 18; 190, 9; 200, **10.**

si, 260, 19.—II, 10, 14; 32, 11; 46, 9. 106, 2, 3 y **4.**

signo, II, 72, 16.

sindicado, II, 125, **11.**

sino, II, 169, 4.

sinrazón, II, 192, **8.**

so, 101, 17.—II, 89, 1; 151, **10.**

só, II, 97, 24.

sobrado, 142, 8.—II, 85, 6; 112, **17.**

sobrar, II, 146, 19; 202, 6.

sobre, II, 97, 20; 201, 17 (después de).

sobrecargar, 88, **15.**

Sócrates, 219, 16.

Sodoma, 44, 13.

sofrimiento, II, 71, **12.**

sofrir, sufrir, 218, 22.—II, 29, 6; 191, 7; en el corrector çufrir, II, 160, 24, etc.

soga, 81, 3; 143, **1.**

soldar, II, 207, 15.

solimán, 74, 2; 139, **18.**

sombroso, II, 139, 11.

son, II, 178, 19.

soñar, 91, 14.

Sosia, 124, 11.—II, 107, 12; 175, 4 y 5.

su, 163, **3.**

subido, II, 149, **2.**

subir, 34, 5.

súpito, 199, 17.—II, 111, **18.** .

tablero, 69, 3; 154, 11; 203, 17.—II, 38, 12; 99, 7; 110, 24.

taja, tarja, 136, 10.

tanto, 112, 4; 129, 20; 187, 2; 259, 19.

taraguntia, 75, **5.**

Tarpeya, 40, 6.

texón, 77, 4; 82, **1.**

tener, II, 161, 23.

tenería, 70, 4; 98, 11.

tentar, 101, **8.**

Terencio, alusiones en: II, 16, **8.**

ternas, 63, 12.

Tesífone, 149, 4.

tha, 66, 7; 260, 21.—II, 74, 18.

Thamar, II, 150, 6.

Tibar, 11, 14.

tierra, 173, 5.—II, 66, 23.

Tolomeo, II, 53, 19; 193, **5.**

tomar, 139, 20.—II, 82, 4.

topar, II, 57, 4.

Torcato, II, 126, **3.**

torce, 197, 10.

torno, 55, 7.

Toro, II, 47, **3.**

REFRANES Y FRASES
PROVERBIALES (1)

El *abad* de do canta de allí viste, 205, 11.

Quien mucho *abarca*, poco suele apretar, II, 97, 17.

Un solo *acto* no haze habito, 256, 1.

Poco sabes de *achaque* de yglesia, 244, 7.

En *achaque* de trama, etc., 197, 16.

Adivinar, que azotan, 218, 20.

El duro *adversario* entibia las yras e sañas, II, 103, 12.

Coger *agua* en cesto, 160, 6.

Meter *aguja* y sacar reja, 159, 18.

El *axuar* de la frontera, II, 166, 12.

En el *aldigüela*, más mal hay que suena, II, 135, 9.

Una *alma* sola ni canta ni llora, 255, 15.

Conciértame essos *amigos*, 234, 9.

El cierto *amigo* en la cosa incierta se conosce, en las adversidades se prueva, 234, 15.

Más vale ser buena *amiga* que mala casada, II, 148, 9.

Amor, con amor se paga, II, 147, 19.

El *amor* impervio todas las cosas vence, 94, 6.

¡*Andar*!, passe!, 124, 5.

Sacar *aradores* a pala e açadon, 96, 17.

Quien a buen *árbol* se arrima, II, 15, 4.

Do vino el *asno* verná el albarda, 89, 17.

Un *asno* cargado de oro sube ligero por una montaña, 137, 13.

Xo que te estriego *asna* coxa, 92, 2.

A la primera *azadonada* queréis sacar agua, II, 136, 10.

Cuando la *barba* de tu vecino vieres pelar, echa la tuya en remojo, II, 145, 5.

Uno piensa el *vayo* e otro el que lo ensilla, II, 176, 5.

Quien bien quiere a *Beltrán*, a todas sus cosas ama, II, 159, 6.

Quien menos procura, alcança más *bien*, 220, 23.

Cierre la *boca* e comience abrir la bolsa, 91, 15.

Cada *bohonero* alaba sus agujas, II, 33, 13.

Dígole que se vaya y abáxasse las *bragas*, II, 101, 5.

¿Adónde yrá el *buey* que no are?, 154, 17.

A *cabo* de un año, tarde e con mal, II, 39, 1.

A cada *cabo* ay tres leguas de mal quebranto, 166, 15.

---

(1) Orden del primer nombre que en él haya, y no habiéndolo, del primer verbo o adjetivo, todos como si estuvieran con ortografía moderna. [Véase CEJADOR, *Refranero*, 3 tomos, y *Fraseología*, 4 tomos.]

Al *cabo* estoy, 65, 9.

El que está en muchos *cabos*, está en ninguno, 101, 2.

Tomar *calças* de Villadiego, II, 80, 11.

Cada *camino* descubre sus dañosos e hondos barrancos, 154, 18.

Conciértame esos *candiles*, 234, 9.

Capa de pecadores, 238, 12.

Sobre la *capa* del justo, II, 112, 20.

En *casa* llena presto se adereça cena, II, 17, 11.

Nunca tú harás *casa* con sobrado, 254, 12.

Uno en *casa* y otro a la puerta, 254, 21.

Afeita un *cepo* y parecerá mancebo, II, 32, 5.

No terná *cera* en el oydo, II, 97, 14.

Por demás es la *cítola* en el molino, II, 147, 12.

Un *clavo* con otro se espele e un dolor con otro, II, 58, 14.

Entre *col* e col lechuga, 204, 3.

Mal me quieren mis *comadres*, etcétera, 124, 6.

Riñen las *comadres*, II, 137, 6.

Tresquilanme en *concejo* e no lo saben en mi casa, II, 123, 24.

Toda *comparación* es odiosa, II, 35, 13.

A los flacos *coraçones* el dolor los arguye, II, 190, 3.

Quien me vido e quien me vee agora, no sé cómo no quiebra su *coraçon* de dolor, II, 43, 15.

Corderica mansa mama su madre e la ajena, II, 73, 1.

Tan presto se va el *cordero* como el carnero, 170, 5.

De ninguna *cosa* es alegre posession sin compañía, 107, 3.

Ni ay *cosa* tan provechosa, que en llegando aproveche. Como la medicina de Fernando, que estaba en la botica y estaba obrando.

De *cossario* a cossario no se pierden sino los barriles, 260, 2.

Nunca mucho *costó* poco, II, 15, 16.

Múdanse *costumbres* con la mudança del cabello e variacion, 232, 12.

Mudar *costumbre* es a par de muerte, II, 143, 8.

Tresquilar a *cruzes*, II, 161, 16.

Crié *cuervo* que me sacasse el ojo, II, 124, 16.

Question de Sant Juan, paz para todo el año, II, 16, 6.

Ninguno *da* lo que no tiene, II, 166, 9.

La presta *dádiva* su efeto ha doblado, 111, 16. Acaso se acuerda el autor de los *Proverbios de Séneca con la glosa*. Sevilla, 1500, f. 8: "Dos vezes es agradescido quando se da lo que cumple y con voluntad se offresce."

Dia e victo e parte en parayso, 263, 1.

Los *días* no se van en balde, 170, 17.

Vale más un *día* del hombre discreto, que toda la vida del nescio, II, 154, 19.

Oyrá el *diablo*, II, 69, 8.

Vaya el *diablo* para ruyn, II, 16, 5.

A *dineros* pagados, braços quebrados, 127, 11.

Sobre *dinero* no ay amistad, II, 95, 2.

Todo lo puede el *dinero*, 137, 10.

Quando *Dios* quería, II, 102, 9.

Da *Dios* havas a quien no tiene quixadas, 106, 9.

De *Dios* en ayuso, 233, 12.

Dios os salve, 171, 1.

Dios te dé buena manderecha, II, 170, 25.

Más vale a quien *Dios* ayuda, que quien mucho madruga, 142, 6 y II, 15, 1.

Dos a dos, 90, 2.

De los *enemigos* los menos, II, 104, 9.

Quien *engaña* al engañador, II, 175, 24.

A buen *entendedor*, II, 22, 17.

Quien *yerra* e se enmienda, etcétera, 242, 11.

No arrendarle los *escamochos*, 255, 7.

Ya tienes tu *escudilla*, II, 12, 7.

Jamás el *esfuerço* desayudó la fortuna, 156, 7.

Ofrescer mucho al que poco pide es *especie* de negar, 218, 1.

La *esperiencia* e escarmiento haze los hombres arteros, 195, 1.

Estremo es creer a todos e yerro no creer a ninguno, 106, 4.

Cada uno dice de la *feria* como le va en ella, II, 203, 16.

Dize cada uno de la *feria* segund le va en ella, 166, 12.

Quanto mayor es la *fortuna*, tanto es menos segura, 104, 14.

La *fortuna* ayuda a los osados, 104, 8 y 194, 10. El seudo Virgilio corriente dice: "Audaces fortuna iuvat, timidosque repellit." El Virgilio auténtico: "Audentes fortuna iuvat." Y así en el adagio vulgar latino de Terencio (*Formio*, 1, 4) y Cicerón (*Tusc.*, 2, 411). En MORETO, *El Caballero*, 2, 8: "La fortuna ayuda a los audaces."

Al *freir* lo verá, 91, 14.

Mucha *fuerça* tiene el amor, II, 37, 12.

Biva la *gallina* con su pepita, 165, 11.

No le arriendo la *ganancia*, 198, 8.

Una *golondrina* no haze verano, 256, 4.

Un solo *golpe* no derriba un roble, II, 21, 7.

Continua *gotera* horaca una piedra, II, 14, 14.

Nuestro *gozo* en el pozo, II, 201, 5.

El *gusto* dañado, muchas veces juzga por dulce lo amargo, II, 33, 10.

Cargado de *hierro* e cargado de miedo, II, 90, 21.

Con lo que sana el *hígado* enferma la bolsa, II, 29, 14.

Tenemos *hijo* o hija, 196, 3.

Al *hilo* de la gente, 125, 12.

A falta de *hombres* buenos, hicieron a mi padre alcalde, II, 124, 9.

Al *hombre* vergonçoso el diablo le traxo a palacio, 257, 11.

De los *hombres* es errar e bestial es la porfía, 110, 15.

El *hombre* apercebido, medio combatido, II, 78, 1.

Honrra sin prouecho, anillo en el dedo, 256, 14.

Honra y provecho no caben en un saco, 256, 16.

En *hoto* del conde no mates al hombre, II, 118, 25.

Tomar con el *hurto*, 154, 19.

Vaya e venga, II, 36, 10.

Las *yras* de los amigos siempre suelen ser reintegración del amor, II, 16, 8.

Pagar *justos* por pecadores, 183, 4.

Beber los *kiries*, II, 30, 1.

Lagrimas e sospiros mucho desenconan el coraçon dolorido, 38, 3.

Ir por *lana* y volver trasquilado, 140, 9 y II, 183, 14.

El *lobo* es en la conseja, II, 157, 1.

De los *locos* es estimar a todos los otros de su calidad, 180, 14.

El *loco* por la pena es cuerdo, II, 107, 16.

O es *loco* o priuado, II, 156, 18.

Si la *locura* fuesse dolores, en cada casa auria bozes, II, 10, 22.

Llegar a recabdar, II, 14, 22.

Por mucho *madrugar*, no amanece más ayna, II, 129, 1.

Con *mal* está el huso, quando la barva no anda de suso, 174, 8.

Mal ageno de pelo cuelga, II, 77, 11.

Buenas son *mangas* passada la pasqua, II, 36, 11.

Un *manjar* solo continuo presto pone hastio, 256, 3.

Está en *manos* el pandero que lo sabrá bien tañer, II, 67, 1.

Es más cierto *médico* el esperimentado que el letrado.

De los discretos *mensajeros* es hazer lo que el tiempo quiere, 199, 10.

A *mesa* puesta, 197, 6.

A *mesa* puesta con tus manos lauadas e poca vergüença, II, 27, 19.

Vale más una *migaja* de pan con paz, que toda la casa llena de viandas con renzilla, II, 43, 7.

Mocedad ociosa acarrea la vejez arrepentida e trabajosa, 262, 3.

Del *monte* sale con que se arde, II, 124, 16.

Mueran e biuamos, II, 142, 6.

Mientra más *moros*, más ganancia, 256, 13.

El *moço* del escudero gallego, II, 20, 9.

A *muertos* e a ydos, II, 197, 25.

Los *muertos* abren los ojos de los que biuen, II, 156, 10.

Quanto al *mundo* es o crece o decrece, II, 44, 13.

El *mur* que no sabe sino un horado, 255, 11.

A nuevo *negocio* nuevo consejo, 199, 8.

De las *obras* dudo, quanto más de las palabras, 92, 1.

Las *obras* hazen linaje, II, 34, 19.

Ay *ojos*, que de lagaña se agradan, II, 31, 11.

No es *oro* quanto reluze, II, 98, 8.

No es todo *oro* quanto amarillo reluze, II, 20, 20.

Guay de quien en *palacio* enveje-ce, 102, 6.

Comer el *pan* con corteza, 140, 15.

Con su *pan* se lo coma, II, 118, 20.

No se le cueze el *pan*, 128, 1.

Pan e vino anda camino, que no moço garrido, 174, 6.

Picar el *pan* en el puño, 90, 1.

Adiós, *paredes*, 64, 2.

Las *paredes* han oidos, 66, 5.

Pequeña *parte* desparte conformes amigos, II, 11, 9.

Ninguna humana *passión* es perpetua ni durable, II, 11, 19.

No da *paso* seguro quien corre por el muro, II, 75, 3.

Mal *pecado*, II, 39, 14.

Quien *peque* e pague, 242, 6.

Mucho va de *Pedro* a Pedro, 240, 21.

Aunque muda el *pelo* la raposa, su natural no despoja, II, 94, 12.

Hazientes e consintientes merecen ygual *pena*, II, 126, 7.

Perdido es quien tras perdido anda, 92, 4.

A otro *perro* con ese huesso, II, 168, 14.

A *perro* viejo no cuz cuz, II, 101, 9.

A tal *perra* vieja, 134, 4.

El *perro* del ortolano, 250, 14.

Nunca más *perro* a molino, 126, 9.

Si me quebré el *pié*, fué por mi bien, 245, 6.

Como *piedras* a tablado, II, 47, 12.

Piedra mouediza nunca moho la cobija, II, 143, 9.

El *plazer* no comunicado no es plazer, II, 9, 4.

Que me *plaze*, II, 8, 15.

De lo *poco*, poco; de lo mucho, nada, II, 100, 10.

Buena *pro* hagan las çapatas, II, 46, 6.

El *propósito* muda el sabio, 199, 7.

A essotra *puerta*, II, 184, 10.

Cuando una *puerta* se cierra, otra se abre, II, 139, 16.

Si sabe mucho la *raposa*, más el que la toma, II, 176, 1.

Hacer *raya* en el agua, 141, 11.

Hablando con *reverencia*, 161, 10.

Al *rey*, me atengo, II, 40, 1.

A *río* buelto ganancia de pescadores, 126, 8.

Nunca faltan *rogadores* para mitigar las penas, 156, 10.

Quien sola una *ropa* tiene, presto la envegece, 256, 6.

Ande la *rueda*, II, 44, 4.

Por demás es *ruego* a quien no puede haver misericordia, 180, 17.

Más es el *ruydo* que las nuezes, II, 49, 12.

Ruyn sea quien por ruyn se tiene, II, 34, 18.

La que las *sabe* las tañe, 108, 2.

Quien las *sabe* las tañe, 194, 18.

Al *sabor* y no al olor, 200, 6.

Malo es esperar *salud* en muerte agena, 39, 1.

A *saluo* está el que repica, II, 73, 6.

Aquel va a más *sano* que anda por llano, II, 75, 4. *Aquel va sano que anda por lo llano o aquel va más sano que anda por lo llano* (CORR., 61).

Dize el *sano* al doliente: Dios te dé salud, II, 21, 15.

Serle ha *sano*, 180, 10.

Quitar a un *sancto* para poner en otro, 260, 16.

Echa otra *sardina*, que otro ruin viene, II, 11, 15.

A quien dizes el *secreto* das tu libertad, 120, 13.

Asaz es *señal* mortal no querer sanar, 38, 3.

Mala *señal* es de amor huyr e boluer la cara, 246, 13.

Quien a otro *sirue*. no es libre, II, 27, 15.

El *seso* al carcañal, 125, 6.

Irán allá la *soga* e el calderón, 39, 3.

Quiebra la *soga* por lo más delgado, 183, 1.

A gran *subida*, gran caída, II, 111, 20.

Quien torpemente *sube* a lo alto, más ayna cae que subió, 103, 12.

Al te *sueño*, 91, 14.

Decir el *sueño* y la soltura, 133, 21.

Tablilla de mesón, que para sí no tiene abrigo y dale a todos, II, 12, 1.

Los *thesoros* de Venecia, 263, 8.

Un *testigo* solo no es entera fe, 256, 5.

Al *tiempo* el consejo, 262, 15.

No se puede dezir sin *tiempo* fecho lo que en todo tiempo se puede fazer, II, 25, 1.

Quien *tiempo* tiene e mejor le espera, tiempo viene que se arrepiente, II, 39, 10.

Todo *tiempo* pasado fué mejor, II, 48, 9.

Sin que las sienta la *tierra*, 173, 5.

Toman antes al mentiroso que al que coxquea, II, 160, 26.

Todo aquello alegra, que con poco *trabajo* se gana, II, 36, 12.

A un *traidor* dos alevosos, 136, 17.

Tres al mohino, 90, 3.

No se toman *truchas*, etc., 233, 21.

A *tuerto* o a derecho, 122, 19.

A *tuerto* o a derecho, nuestra casa hasta el techo, 103, 15.

Ser *uña* y carne, 134, 11.

Más *vale* prevenir que ser preuenidos, II, 145, 9.

Valiera mas solo, que mal acompañado, 123, 4.

A tres me parece que va la *vencida*, II, 182, 18.

Si te *vi*, burleme, II, 98, 23.

Ni *vieja* castigues..., 146, 1.

Vieja escarmentada pasa el vado arregazada, 195, 3.

Quando el *vil* está rico, no tiene pariente ni amigo, II, 124, 11.

Vive comigo e busca quien te mantenga, II, 97, 4.

Como de lo *vivo* a lo pintado, 41, 2.

Yerro es no creer e culpa creerlo todo, 109, 12.

No se ganó *Zamora* en una hora, 221, 3.